2000 Essential
KOREAN WORDS for Beginners

2000 Essential Korean Words for Beginners

Written by	Ahn Seol-hee, Min Jin-young, Kim Min-sung
Translated by	Ryan P. Lagace, Jin Yingzi, Ozaki Tatsuji

First Published	March, 2008
3rd Printing	August, 2011
Publisher	Chung Kyudo
Editor	Lee Suk-hee, Oh Ju-young, Jeong Nam-seok, Park Jeong-mi
Cover design	Cho Hwa-youn
Interior design	You Soo-jung, Choi Young-ran
Voice Actor	Shin So-yun, Kim Rae-whan

DARAKWON Published by Darakwon Inc.
211 Munbal-ro, Paju-si
Gyeonggi-do, Korea 413-830
Tel : 02-736-2031 Fax : 02-732-2037
(Marketing Dept. ext.: 113,114 Editorial Dept. ext.: 410~412)

Price : 23,000 won (with MP3 CD)

ISBN : 978-89-5995-781-1 18710
       978-89-5995-780-4 (set)

http://www.darakwon.co.kr
Visit the Darakwon homepage to learn about our other publications and promotions and
to download the contents of the CD in MP3 format.

2000 Essential KOREAN WORDS for Beginners

Ahn Seol-hee / Min Jin-young / Kim Min-sung

DARAKWON

머리말

외국인 학생들에게 한국어를 가르치면서 어휘 교육에 참고할 만한 자료나 학생들에게 선뜻 추천해 줄 만한 어휘 학습 교재가 없어 내심 안타까웠다. 일차적으로 한국어를 제2언어 또는 외국어로 공부하는 초급 학습자들과 그 학습자들을 가르치는 교사들을 위한 어휘집이 필요할 것 같다는 생각에서 이 책을 집필하게 되었다.

이 책에서 다룬 단어들은 약 2,000여 개로 다음과 같은 기준으로 선정하였다. 첫째, 국내 9개 대학부속 한국어 교육기관 및 사설학원 두 곳에서 사용하고 있는 한국어 초급(1~2급) 교재의 단어 중 3개 이상의 기관 교재에 사용된 단어를 선정하였다. 둘째, 외국인 학습자들이 우선적으로 학습해야 하는 어휘를 선정하기 위해 첫 번째 선정한 어휘들을 국립국어원 '한국어 학습용 어휘 목록(초급 어휘)'과 '제3~8회 한국어능력시험(TOPIK, 어휘/문법 영역)'에 출제된 어휘들과 비교하여 중복되는 어휘들을 추출하였다. 추출된 단어는 14개 주제별로 분류하였고 수록된 예문은 주제와 관련하여 한국어 교재에서 실제 사용된 것들과 실생활에서 자주 사용되는 유용한 예문들을 제시하고자 하였다. 또한 반의어, 유의어, 높임말, 낮춤말, 관련어, 참고어 등 다양한 관련 어휘를 추가하여 학습자들의 어휘력 신장에 도움을 주고자 하였다.

많은 분들의 도움이 없었다면 이 책이 나오기 어려웠을 것이다. 애써 주신 다락원의 사장님과 한국어 출판부 편집진 여러분께 진심으로 감사드린다. 꼼꼼하게 번역을 해 주신 Ryan Lagace 선생님(영어), 김영자 선생님(중국어), 오자키 다쓰지 교수님(일본어)께 감사를 드린다. 또한 학습자의 눈높이에서 조언을 해 준 Patrick 씨, 시바타 카즈에 씨, 이순신 씨, 주정매 씨에게도 감사의 말을 전한다. 마지막으로, 2년여 간에 걸친 긴 집필 과정을 묵묵히 사랑으로 지켜봐 주고 응원해 준 가족들, 책의 집필 방향과 내용에 대해 조언을 해 주신 연세대학교 강승혜 교수님, 한국어를 가르치는 입장에서 조언을 해 주고 교정을 봐 준 신현미, 선은희, 이희정 선생님을 비롯해 곁에서 힘이 되어 준 동료들, 친구들에게 진심으로 고마움을 전한다.

저자 일동

Introduction

While teaching Korean to foreign students, we found it is very unfortunate that there are not enough useful vocabulary books readily available to students. With an evident need for a new and useful vocabulary book in mind, we have prepared this book for beginning learners of Korean, as well as their teachers.

This book covers a total of approximately 2,000 words according to the following criteria. First of all, we selected the vocabulary words that appear more than 3 textbooks of the basic first and second level Korean. The textbooks are currently using in the Korean language institutes of nine universities and two private Korean language institutes. Next, in order to cover words that students are required to learn, we compared these words with the list of basic level words for learners of Korean (The National Institute of the Korean Language) and with the words that appeared in the Vocabulary/Grammar section of the third to eighth TOPIK exams. Finally, we selected the recurring words and organized them into fourteen topics. The provided example sentences are related to each topic; they are focused on the example sentences used in textbooks and practical sentences frequently used in everyday life. Whenever possible, the antonym, synonym, honorific form, low form, related word(s), and reference word(s) are provided in order to widen the students' vocabulary range.

This book would not have been possible without the help of many people. We would like to offer our heartfelt thanks to the president of Darakwon, Mr. Chung Hyo-sup and the editors of the Korean Editorial department. Also, we sincerely appreciate Mr. Ryan Lagace, Jin Yingzi and Ozaki Tatuzi for their precise translations. We would like to extend our thanks to Mr. Patrick, Shibata Kazue, Lee Sun-shin, Joo Jung-mae who contributed invaluable advice from a student's viewpoint. A final thanks to the family who supported us with consistent and endless love during the last two plus years of this project, professor Kang Seoung-hye, who gave invaluable advice on the direction and contents of this book, and Shin Hyun-mi, Sun Eun-hee and Lee Hee-jung as well as the Korean language teachers, friends, and colleagues who supported us every step of the way.

Ahn Seol-hee, Min Jin-young, and Kim Min-sung

이 책의 구성 및 활용

이 책은 외국어로서의 한국어를 배우는 학습자들과 한국어를 가르치고 있는 교사들을 위해 만들어진 초급 어휘집이다. 어휘집에 수록된 단어의 수는 확장 어휘를 포함하여 2,000 단어가 조금 넘는다. 이는 초급 수준에서 학습해야 할 단어의 적정한 수준이다.

이 책의 단어는 초급 수준에서 자주 접하게 되는 14개의 큰 주제로 분류하여 가나다순으로 정리하였다. 큰 주제는 다시 여러 개의 작은 주제로 나누어 학습자들이 같은 주제의 관련된 단어들을 범주화하여 학습할 수 있도록 하였다. 이를 통해 학습자들은 좀 더 체계적이고 효과적으로 의미장을 형성함으로써 어휘 학습을 보다 효율적으로 할 수 있을 것이다.

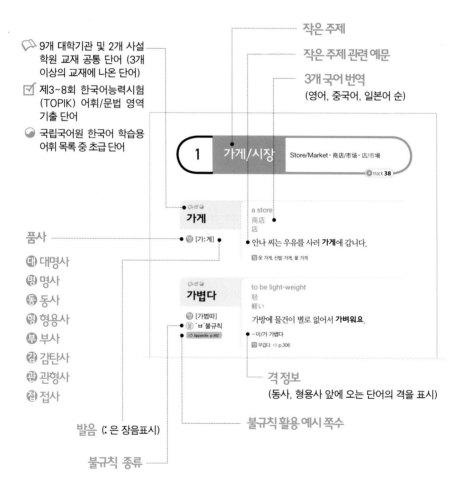

작은 주제

작은 주제 관련 예문

3개 국어 번역
(영어, 중국어, 일본어 순)

9개 대학기관 및 2개 사설 학원 교재 공통 단어 (3개 이상의 교재에 나온 단어)

제3~8회 한국어능력시험 (TOPIK) 어휘/문법 영역 기출 단어

국립국어원 한국어 학습용 어휘 목록 중 초급 단어

1 가게/시장   Store/Market · 商店/市場 · 店/市場

track **38**

가게

명 [가:게]

a store
商店
店

안나 씨는 우유를 사러 **가게**에 갑니다.

관 옷 가게, 신발 가게, 꽃 가게

가볍다

형 [가볍따]
'ㅂ' 불규칙
Appendix p.482

to be light-weight
轻
軽い

가방에 물건이 별로 없어서 **가벼워요.**

- 이/가 가볍다

반 무겁다 ⇨ p.306

품사

대 대명사

명 명사

동 동사

형 형용사

부 부사

감 감탄사

관 관형사

접 접사

격 정보
(동사, 형용사 앞에 오는 단어의 격을 표시)

발음 (: 은 장음표시)

불규칙 활용 예시 쪽수

불규칙 종류

유 **유의어** 비슷한 뜻을 가진 단어

반 **반의어** 반대되는 뜻을 가진 단어

높 **높임말** 높임 표현의 단어

낮 **낮춤말** 낮춰 말하는 단어

관 **관련어** 단어와 관련된 표현

참 **참고어** 단어의 파생어 또는 복합어

동 **동사**

형 **형용사**

명 **명사**

부 **부사**

• 학습자들이 자주 틀리거나
  헷갈려 하는 사항에 대한 설명
• 유용한 추가 정보

• Let's Check
한국어능력시험(TOPIK)과 비슷한 유형의 연습 문제

큰 주제

Korean through
Chinese Characters
한자어 학습을 통한
확장 어휘

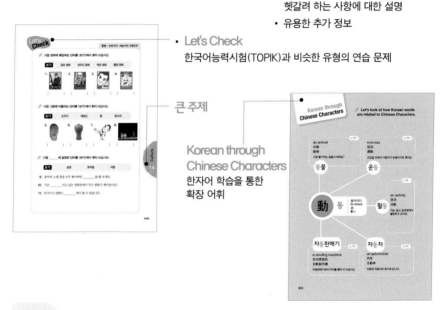

부록

추가 어휘 국가명, 색깔, 운동, 가계도, 신체 부위 명칭, 착용 동사, 띠, 요일, 월, 숫자,
접속부사, 준말, 반의어, 유의어, 단위명사, 전국 지도, 서울 지도

불규칙 동사·형용사 활용표 불규칙 동사와 형용사의 활용표

정답 Let's Check 정답

색인 한국어 가나다 순으로 정리

How to use this book

This vocabulary book was designed for learners as well as teachers of Korean (basic level) as a second language. Including entry words and related vocabulary words, more than 2,000 essential vocabulary words are covered. Such an extensive vocabulary is both necessary and appropriate for learners of Korean at a basic level.

The vocabulary words in this book are categorized into fourteen topics and arranged in Korean alphabetical order. Each main topic is further divided into detailed subsections, which enable learners to categorize the related words for each topic. Therefore, learners will be able to understand and expand their semantic field systematically and effectively.

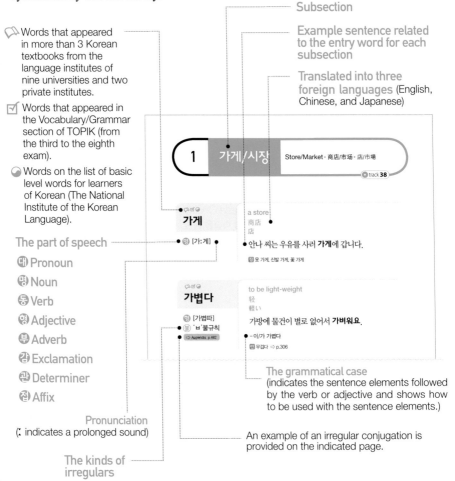

Subsection

Example sentence related to the entry word for each subsection

Translated into three foreign languages (English, Chinese, and Japanese)

Words that appeared in more than 3 Korean textbooks from the language institutes of nine universities and two private institutes.

Words that appeared in the Vocabulary/Grammar section of TOPIK (from the third to the eighth exam).

Words on the list of basic level words for learners of Korean (The National Institute of the Korean Language).

The part of speech

代 Pronoun
名 Noun
動 Verb
形 Adjective
副 Adverb
感 Exclamation
冠 Determiner
接 Affix

Pronunciation
(ː indicates a prolonged sound)

The kinds of irregulars

The grammatical case
(indicates the sentence elements followed by the verb or adjective and shows how to be used with the sentence elements.)

An example of an irregular conjugation is provided on the indicated page.

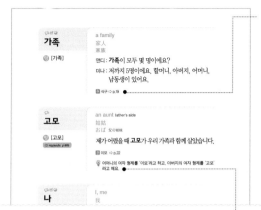

- 유 Synonym
- 반 Antonym
- 높 Honorific form
- 낮 Low form
- 관 Expressions related to each entry word
- 참 Derived words or compound (word) for each entry word
- 동 Verb
- 형 Adjective
- 명 Noun
- 부 Adverb

- Explanation on confusing points
- Additional tips

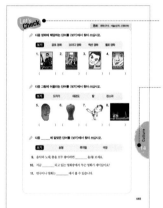

- **Let's Check**
  a review test similar with TOPIK

Main Topic

Korean through Chinese Characters
Through learning the Chinese characters, learners will be able to widen their vocabulary range.

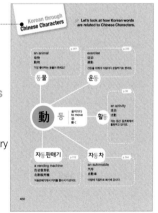

Appendix

- **Additional Vocabulary**
  Nations, Colors, Sports, Family Tree, The Names of Body Parts, Verbs Related to Clothing or Accessories, The Chinese Zodiac Signs, Days of the Week, Months, Numbers, Conjunctive Adverbs, Abbreviations, Antonyms, Synonyms, Counting Units, National Map, and Seoul Map

- **Table of Irregular Verbs and Adjectives**
  Conjugated forms of irregular verbs and adjectives

- **Answers**   Answer for "Let's Check"
- **Index**   Arranged in Korean alphabetical order

차례 · **Contents**

01

사람

People

가족

명 [가족]

a family
家人
家族

앤디: **가족**이 모두 몇 명이에요?

미나: 저까지 5명이에요. 할머니, 아버지, 어머니, 남동생이 있어요.

유 식구 ⇨ p.19

고모

명 [고모]
⇨ Appendix p.469

an aunt father's side
姑姑
おば 父の姉妹

제가 어렸을 때 **고모**가 우리 가족과 함께 살았습니다.

관 이모 ⇨ p.22

💡 어머니의 여자 형제를 '이모'라고 하고, 아버지의 여자 형제를 '고모'라고 해요.

나

대 [나]
⇨ Appendix p.469

I, me
我
私

나는 아직 점심 안 먹었어. 너는 먹었어?

낮 저

💡 나+가 ⇨ 내가

남동생

명 [남동생]
⇨ Appendix p.469

a younger brother
弟弟
弟

저는 **남동생**이 한 명, 여동생이 한 명 있어요.

반 여동생 ⇨ p.21

남편

명 [남편]
⇨ Appendix p.469

a husband
丈夫
夫

제 **남편**은 요즘 회사에 일이 많아서 집에 늦게 와요.

반 아내 ⇨ p.19

누나

명 [누:나]
⇨ Appendix p.469

an older sister term used by males only
姐姐
姉 (弟から見て)

우리 **누나**는 저보다 두 살이 많아요.

참 언니 ⇨ p.21

💡 나이가 많은 여자 형제를 남자는 '누나'라고 하고, 여자는 '언니'라고 해요.

동생

명 [동생]

a younger sibling
弟弟、妹妹
弟、妹

제 **동생**은 운동을 잘하는데 저는 못해요.

참 남동생, 여동생, 사촌 동생

딸

명 [딸]
⇨ Appendix p.469

a daughter
女儿
娘

우리 집은 **딸**만 둘입니다.

반 아들 ⇨ p.20
참 큰딸, 작은딸, 막내딸

막내

명 [망내]

the youngest in the family
老小
末っ子

저는 형이 두 명, 누나가 한 명 있어요. 제가 **막내**
예요.

반 맏이[마지]

모시다

동 [모:시다]

to accompany (honorific form)
陪同、奉养
お世話する、ご案内する、お供する

부모님을 **모시고** 공항에 갔어요.

- 을/를 모시다
낮 데리다
괜 모시고 가다/오다, 모시고 살다, 모셔다 드리다

부모

명 [부모]

parents
父母
親、両親

요즘에는 결혼 후에 **부모**와 함께 사는 사람들이 별
로 없어요.

높 부모님

삼촌

명 [삼촌]
⇨ Appendix p.469

an uncle father's side
叔叔
おじ 父の兄弟

우리 **삼촌**은 아버지보다 10살이 적어요.

💡 '삼촌'이 맞지만 '삼춘'이라고 말하는 사람들이 많아요.

식구

명 [식꾸]

family member(s)
家人、家庭人员
家族 扶養する人員

우리 **식구**는 모두 5명이에요.

유 가족 ⇨ p.16

아기

명 [아기]

a baby
小孩儿
赤ちゃん

아기의 웃는 얼굴이 정말 귀여워요.

💡 '아기'가 맞지만 '애기'라고 말하는 사람들이 많아요.

아내

명 [아내]
⇨ Appendix p.469

a wife
妻子
妻

저는 대학교에 다닐 때 제 **아내**를 처음 만났습니다.

유 집사람
반 남편 ⇨ p.17

💡 다른 사람의 아내는 '부인'이라고 높여서 불러요.

19

아들

명 [아들]
⇨ Appendix p.469

a son
儿子
息子

제 이모는 **아들**이 세 명 있습니다.

빈 딸 ⇨ p.18
참 큰아들, 작은아들, 막내아들

아버지

명 [아버지]
⇨ Appendix p.469

a father
爸爸
父

앤디 씨 **아버지**는 지금 미국에 계세요.

빈 어머니 ⇨ p.21
높 아버님
참 아빠

아이

명 [아이]

a kid, a child
孩子
子ども

공원에서 **아이**들이 놀고 있어요.
사촌 언니는 **아이**가 셋이에요.

빈 어른 ⇨ p.20

어른

명 [어:른]

an adult
大人
大人、年長者

할아버지가 우리집에서 제일 **어른**이세요.

빈 아이 ⇨ p.20

어머니

명 [어머니]
⇨ Appendix p.469

a mother
妈妈
母、母親、お母さん

저는 오늘 **어머니**께 편지를 썼습니다.

빈 아버지 ⇨ p.20
높 어머님
참 엄마

언니

명 [언니]
⇨ Appendix p.469

an older sister used by females only
姐姐
姉（妹から見て）

안나 : 올가 씨는 **언니**가 있어요?

올가 : 아니요, 저는 오빠만 한 명 있어요.

관 누나 ⇨ p.17

엄마

명 [엄마]
⇨ Appendix p.469

a mom
妈妈
お母さん、母親、おかあちゃん

엄마가 보고 싶어서 어제 전화를 했어요.

빈 아빠
높 어머니 ⇨ p.21

여동생

명 [여동생]
⇨ Appendix p.469

a younger sister
妹妹
妹

제 **여동생**은 대학생이고, 남동생은 고등학생이에요.

빈 남동생 ⇨ p.17

오빠

명 [오빠]
⇨ Appendix p.469

an older brother used by females only
哥哥
兄 (妹から見て)

오빠는 아버지를 닮았고, 저는 어머니를 닮았어요.

관 형 ⇨ p.23

💡 나이가 많은 남자 형제를 여자는 '오빠'라고 하고, 남자는 '형'이라고 해요.

우리

대 [우리]

we, our
我们
私たち、私たちの

우리 가족은 서울에 살아요.

낮 저희 ⇨ p.22

💡 한국 사람들은 '내 엄마, 내 나라' 대신 '우리 엄마, 우리나라'라고 해요.

이모

명 [이모]
⇨ Appendix p.469

an aunt mother's side
姨妈
おば 母の姉妹

우리 엄마와 **이모**는 별로 안 닮았어요.

관 고모 ⇨ p.16

저희

대 [저희]

we, our (honorific form)
我们
わたくしども

저희 부모님은 여행을 자주 다니세요.

높 우리 ⇨ p.22

💡 '저희 나라'는 틀린 말이에요. '우리나라'라고 해야 해요.
💡 '저'의 복수는 '저희', '나'의 복수는 '우리'예요.

조카

명 [조카]

a nephew, a neice
侄子/侄女/外甥/外甥女
甥、姪

저는 다음 달에 **조카**가 생겨요.

친척

명 [친척]

a relative
亲戚
親戚

저는 명절에는 **친척**들이 많이 살고 있는 부산에 가요.

할머니

명 [할머니]
⇨ Appendix p.469

a grandmother
奶奶
祖母、おばあさん

저희 **할머니**는 올해 여든이세요.

반 할아버지 ⇨ p.23
높 할머님   참 친할머니, 외할머니

할아버지

명 [하라버지]
⇨ Appendix p.469

a grandfather
爷爷
祖父、おじいさん

저희 **할아버지**는 3년 전에 돌아가셨어요.

반 할머니 ⇨ p.23
높 할아버님   참 친할아버지, 외할아버지

형

명 [형]
⇨ Appendix p.469

an older brother used by males only
哥哥
兄 (弟から見て)

우리 **형**은 작년에 군대에 갔어요.

참 오빠 ⇨ p.22

밑줄 친 단어와 같은 단어를 쓰십시오.

> 우리 ㉠ 가족은 모두 다섯 명이에요. ㉡ 어머니와 아버지, 형, 누나
> 그리고 저예요.

1. ㉠(   )   **2.** ㉡(   )

다음 설명에 알맞은 단어를 〈보기〉에서 찾아 쓰십시오.

> **보기**   고모 이모 삼촌 조카 할머니 할아버지 딸 누나 여동생

3. 이 사람은 아버지의 여동생이나 누나입니다.

　　　　　　　　　　　　　　　　＿＿＿＿＿＿＿＿＿＿＿

4. 이 사람은 아버지의 어머니입니다.

　　　　　　　　　　　　　　　　＿＿＿＿＿＿＿＿＿＿＿

5. 이 사람은 언니, 누나, 오빠, 형, 동생의 딸이나 아들입니다.

　　　　　　　　　　　　　　　　＿＿＿＿＿＿＿＿＿＿＿

6. 이 사람은 어머니의 여동생이나 언니입니다.

　　　　　　　　　　　　　　　　＿＿＿＿＿＿＿＿＿＿＿

다음 중 반대말끼리 연결된 것이 <u>아닌</u> 것을 고르십시오.

7. ① 아이 — 어른

② 남편 — 아내

③ 딸　 — 아들

④ 가족 — 친척

2 감정

Emotions · 感情 · 感情

track 02

걱정

명 [걱쩡]

anxiety, worry
担心
心配

피터 씨는 하숙집을 못 구해서 **걱정**입니다.

- 이/가 걱정이다/걱정(이) 되다
- 을/를 걱정하다

동 걱정하다

그립다

형 [그립따]
불 'ㅂ'불규칙
⇨ Appendix p.482

to be missed, to be longed for
思念
恋しい、懐かしい

안나 씨는 1년 전에 한국에 왔습니다. 그래서 지금 고향이 **그립습니다.**

- 이/가 그립다
- 이/가 - 을/를 그리워하다

동 그리워하다
명 그리움

기분

명 [기분]

feeling
心情
気分

상을 받았는데 **기분**이 어때요?

관 기분이 좋다/나쁘다

25

기쁘다

형 [기쁘다]
불 '으'불규칙
⇨ Appendix p.484

to be glad, to be happy
高兴
うれしい

여러분을 알게 되어서 참 **기쁩니다**.

- 이/가 기쁘다
- 이/가 - 을/를 기뻐하다

동 기뻐하다
명 기쁨
반 슬프다 ⇨ p.28

깜짝

부 [깜짝]

surprisingly, all of sudden
(吓) 一跳
びっくり

친구가 갑자기 큰 소리로 불러서 **깜짝** 놀랐어요.

참 깜짝 파티

놀라다

동 [놀:라다]

to be surprised, to be amazed
吃惊
おどろく

처음 본 외국 사람이 한국말을 잘해서 **놀랐어요**.

- 이/가 (깜짝) 놀라다

느끼다

동 [느끼다]

to feel
感觉
感じる

어머니의 편지를 읽고 어머니의 사랑을 **느꼈어요**.

- 이/가 - 을/를 느끼다

명 느낌

답답하다

형 [답따파다]

to be stuffy, to feel helpless
闷、憋闷
息苦しい、もどかしい

하숙방이 좁고 창문이 없어서 **답답해요**.

한국말을 잘 못해서 **답답해요**.

- 이/가 답답하다

무섭다

형 [무섭따]
불 'ㅂ'불규칙
⇨ Appendix p.483

to be scary
可怕
怖い

저는 **무서운** 영화를 싫어해요.

- 은/는 - 이/가 무섭다
- 은/는 - 을/를 무서워하다

동 무서워하다

부럽다

형 [부럽따]
불 'ㅂ'불규칙
⇨ Appendix p.483

to be envious
羡慕
うらやましい

저는 한국말을 잘하는 안나 씨가 **부러워요**.

- 은/는 - 이/가 부럽다
- 은/는 - 을/를 부러워하다

동 부러워하다

불안

명 [부란]

uneasiness, restlessness
不安
不安

시험 때문에 **불안**해서 잠을 못 잤어요.

- 이/가 불안하다

형 불안하다   동 불안해하다

27

사랑

명 [사랑]

love
爱、爱情
愛

저는 **사랑**하는 사람과 결혼하고 싶어요.

– 이/가 – 을/를 사랑하다

동 사랑하다

상쾌하다

형 [상쾌하다]

to be refreshing
爽快
さわやかだ

운동한 후에 샤워를 하면 기분이 **상쾌해요**.

– 이/가 상쾌하다

섭섭하다

형 [섭써파다]

to be sad, to be regretful
舍不得
名残惜しい、別れがたい

고향에 돌아가는 것은 기쁘지만, 친구들과 헤어져서 **섭섭해요**.

– 이/가 섭섭하다

슬프다

형 [슬프다]
불 '으'불규칙
▷ Appendix p.484

to be sad
伤心 (难过)
悲しい

어제 본 드라마가 너무 **슬펐어요**.

– 이/가 슬프다
– 이/가 슬퍼하다

동 슬퍼하다
명 슬픔

신나다

영 [신나다]

to be excited
开心
浮かれる、得意になる

아이들이 놀이 공원에서 **신나게** 놀았습니다.

– 이/가 신나다

심심하다

영 [심심하다]

to be bored because of having too much time
无聊
退屈だ

리에 씨는 어제 약속이 없어서 하루 종일 집에 혼자 있었어요. 그래서 너무 **심심했어요.**

– 이/가 심심하다

외롭다

영 [외롭따/웨롭따]
불 'ㅂ'불규칙
⇨ Appendix p.483

to be lonely
孤单
孤独だ、さびしい

리에 씨는 혼자 살아서 가끔 **외롭습니다.**

– 이/가 외롭다
– 이/가 외로워하다

동 외로워하다
명 외로움

우울하다

영 [우울하다]

to be depressed
忧郁
ゆううつだ

저는 취직 시험에 계속 떨어져서 **우울합니다.**

– 이/가 우울하다
– 이/가 우울해하다

동 우울해하다
참 우울증

울다

⟨동⟩ [울다]
⟨불⟩ 'ㄹ'불규칙
⇨ Appendix p.482

to cry
哭
泣く

올가 씨는 슬픈 영화를 보고 **울었어요**.

－이/가 울다

⟨명⟩ 울음

웃다

⟨동⟩ [욷:따]

to smile, to laugh
笑
笑う

피터 씨는 항상 **웃으면서** 이야기를 합니다.

－이/가 웃다

⟨명⟩ 웃음

즐겁다

⟨형⟩ [즐겁따]
⟨불⟩ 'ㅂ'불규칙
⇨ Appendix p.483

to be enjoyable, to be cheerful
快乐
楽しい

저는 한국 생활이 **즐겁습니다**.

－이/가 즐겁다

⟨동⟩ 즐거워하다

지루하다

⟨형⟩ [지루하다]

to be bored
无聊、冗长
退屈だ

매일 똑같은 일을 하면 **지루해요**.

－이/가 지루하다

⟨동⟩ 지루해하다

People
01

창피하다

형 [창피하다]

to be embarrassed, to be ashamed
羞愧
みっともない、恥ずかしい

길에서 넘어져서 **창피했어요**.

– 이/가 창피하다

동 창피해하다

편안하다

형 [펴난하다]

to be free from anxiety, to be at ease
舒服
楽だ

시험이 끝나서 마음이 **편안해요**.

– 이/가 편안하다

반 불편하다 ⇨ p.361

행복

명 [행복]

happiness
幸福
幸せ

사랑하는 사람과 결혼해서 **행복**해요.

– 이/가 행복하다

형 행복하다
동 행복해하다
관 행복을 느끼다

화

명 [화]

anger
(发) 火、怒
怒り

친구가 저한테 거짓말을 해서 **화**가 났어요.

– 이/가 화가 나다
– 이/가 – 에게 화를 내다

관 화를 풀다, 화를 참다

✎ **다음 질문에 답하십시오.**

1. 그림을 보고 대화를 완성하십시오.

> 가 지금 기분이 어때요?
> 나 _____.

① 지루해요   ② 외로워요   ③ 슬퍼요   ④ 행복해요

2. 밑줄 친 부분의 의미와 비슷한 것을 고르십시오.

> **저는 미국에 있는 가족들이 <u>그립습니다.</u>**

① 저는 가족들이 보고 싶습니다.

② 저는 가족들에게 섭섭합니다.

③ 저는 가족들이 부럽습니다.

④ 저는 가족들 때문에 답답합니다.

✎ **다음 _____에 들어갈 알맞은 말을 고르십시오.**

3. 친구가 거짓말을 했어요. 그래서 화가 _____.

① 났어요   ② 생겼어요   ③ 들었어요   ④ 나왔어요

4. 길에서 옛날 남자 친구를 만났습니다. 정말 깜짝 _____.

① 느꼈어요   ② 놀랐어요   ③ 기뻤어요   ④ 즐거웠어요

3 성격 Personality · 性格 · 性格

강하다
형 [강하다]

to be strong
强
強い

피터 씨는 책임감이 **강한** 사람입니다.

– 이/가 강하다

개인
명 [개:인]

an individual, a person
个人
個人

요시코 씨는 **개인**적인 얘기를 잘 안 합니다.

관 개인적, 개인적이다

거짓말
명 [거:진말]

a lie
假话
うそ

거짓말을 잘하는 사람은 믿기 어렵습니다.

– 이/가 – 에게 거짓말하다
동 거짓말하다

겁
명 [겁]

fear
怯胆
おびえ

저는 **겁**이 많아서 놀이기구를 못 타요.

관 겁이 나다, 겁을 내다, 겁이 많다, 겁이 없다, 겁을 먹다

게으르다

(형) [게으르다]
(불) '르'불규칙
⇨ Appendix p.482

to be lazy
懶惰
怠惰だ

게으른 사람은 성공하기가 어렵습니다.

– 이/가 게으르나

(반) 부지런하다 ⇨ p.35

급하다

(형) [그파다]

to be urgent, to be short-tempered
急
せっかちだ

저는 성격이 **급해서** 가끔 실수를 해요.

– 이/가 급하다

농담

(명) [농담]

a joke
玩笑
冗談

왕위 씨는 재미있는 **농담**을 잘해요.

– 이/가 – 에게 농담하다

(동) 농담하다
(관) 농담이 심하다

다르다

(형) [다르다]
(불) '르'불규칙
⇨ Appendix p.482

to be different
不同
異なる

저는 조용한데 제 동생은 말이 많아요. 우리는
성격이 **달라요.**

– 와/과 – 이/가 다르다
– 이/가 – 와/과 다르다

(반) 같다 ⇨ p.452

명랑하다

형 [명낭하다]

to be cheerful
开朗
(性格が) 明るい

리에 씨는 **명랑하고** 공부도 열심히 하는 학생입니다.

– 이/가 명랑하다

참 명랑 소설, 명랑 만화

부끄럽다

형 [부끄럽다]
불 'ㅂ'불규칙
⇨ Appendix p.483

to be embarrassed, to be shy
羞愧、害羞
恥ずかしい

올가 씨는 **부끄러워서** 얼굴이 빨개졌어요.

– 이/가 부끄럽다

부지런하다

형 [부지런하다]

to be diligent
勤快
勤勉だ

요시코 씨는 **부지런해서** 쉬지 않고 열심히 일합니다.

– 이/가 부지런하다

반 게으르다 ⇨ p.34

불친절하다

형 [불친절하다]

to be unfriendly, to be unkind
不亲切、不热情
不親切だ

손님에게 **불친절한** 식당에는 다시 가고 싶지 않아요.

– 이/가 – 에게 불친절하다

반 친절하다

생각

명 [생각]

a thought
想法
考え

안나 씨는 **생각**도 깊고 마음도 넓어요.

- 을/를 생각하다
- 이/가 생각나다

동 생각하다, 생각나다

서두르다

동 [서두르다]
불 '르'불규칙
⇨ Appendix p.482

to hurry, to rush
急、赶紧
急ぐ

저는 모든 일을 **서둘러서** 빨리 끝내요.

- 을/를 서두르다

성격

명 [성격]

personality
性格
性格

올가 씨는 **성격**이 좋아서 친구가 많아요.

관 성격이 좋다/나쁘다, 성격이 강하다, 성격이 급하다

습관

명 [습꽌]

a habit
习惯
(個人的な) 習慣

어려서부터 좋은 **습관**을 가져야 해요.

관 습관이 있다/없다, 습관을 가지다, 습관을 고치다

신경
명 [신경]

worry, concern
神、心思
神経、気配り

별일 아니니까 **신경** 쓰지 마세요.

관 신경을 쓰다, 신경이 쓰이다

인기
명 [인끼]

popularity
人气
人気

요즘은 재미있는 사람이 **인기**가 많아요.

관 인기가 있다/없다, 인기가 높다/많다
참 인기 가요, 인기 가수

자랑
명 [자랑]

boast, brag
夸耀、骄傲
自慢

피터 씨가 이번 시험에서 일등을 했다고 **자랑**했어요.

- 을/를 자랑하다
동 자랑하다
참 자랑거리

자신
명 [자신]

confidence
自信
自信

저는 모든 일에 **자신**이 있는 사람이 좋아요.

관 자신이 있다/없다
참 자신감

착하다

형 [차카다]

to be good-hearted
善良
善良だ

저는 **착한** 사람과 결혼하고 싶어요.

참다

동 [참:따]

to endure
忍耐
がまんする、耐える

많이 아플 때는 **참지** 말고 병원에 가세요.

−이/가 −을/를 참다

천사

명 [천사]

an angel
天使
天使

제 동생은 **천사**처럼 착해요.

친절

명 [친절]

kindness
亲切、热情
親切

리에 씨가 **친절**하게 잘 도와줬어요.

형 친절하다
반 불친절

활동

명 [활똥]

activity
活动
活動

저는 좀 더 **활동**적인 사람이 되고 싶어요.

관 활동적이다

38

✎ **의미가 같은 것을 연결하십시오.**

1. 친절하다 • 　　　　• ① 자주 화를 내고 잘 웃지 않습니다.

2. 서두르다 • 　　　　• ② 일을 빨리 하고, 빨리 끝내려고 합니다.

3. 무섭다 • 　　　　• ③ 다른 사람을 잘 도와줍니다.

✎ **다음 대화의 _____에 들어갈 알맞은 단어를 고르십시오.**

4.
> 왕위　리에 씨, 요즘 어떻게 지내세요?
>
> 리에　잘 지내요. 왕위 씨는요?
>
> 왕위　저는 좀 바쁘게 지냈어요. 매일 아침 일찍 운동하고 저녁에는 아르바이트를 해요.
>
> 리에　어, 그래요? 왕위 씨는 정말 _____.

① 착하군요　　② 부지런하군요　　③ 무섭군요　　④ 서두르는군요

5.
> 피터　준이치 씨, 빨리 오세요!
>
> 준이치　네, 지금 가요.
>
> 피터　배가 고프니까 빨리 갑시다.
>
> 준이치　피터 씨는 정말 성격이 _____.

① 게으른 것 같아요　　　　② 명랑한 것 같아요

③ 급한 것 같아요　　　　　④ 참는 것 같아요

✎ **다음 _____에 들어갈 알맞은 단어를 고르십시오.**

6.
> 안나 씨는 아침에 늦게 일어나고, 공부도 열심히 안 합니다.
>
> 안나 씨는 _____.

① 불친절합니다　　② 급합니다　　③ 게으릅니다　　④ 착합니다

귀엽다

형 [귀ː엽따]
불 'ㅂ'불규칙
⇨ Appendix p.482

to be cute
可爱
かわいい

아기 얼굴이 정말 **귀여워요**.

– 이/가 귀엽다

길다

형 [길ː다]
불 'ㄹ'불규칙
⇨ Appendix p.481

to be long
长
長い

저기 머리가 **긴** 분이 누구세요?

– 이/가 길다

반 짧다 ⇨ p.45

날씬하다

형 [날씬하다]

to be slim, to be thin
苗条
すらりとしている、スマートだ

요시코 씨는 키가 크고 **날씬해요**.

– 이/가 날씬하다

반 뚱뚱하다 ⇨ p.42

네모

명 [네ː모]

a square
四方状
四角形

이 사진에서 얼굴이 **네모**난 사람이 제 동생이에요.

형 네모나다

People

01

다이어트

⑬ [다이어트]

a diet
减肥
ダイエット

건강을 위해서 **다이어트**를 하려고 해요.

💡 한국에서 '다이어트 하다'는 보통 '살을 빼다'라는 의미로 써요.

닮다

⑧ [담:따]

to resemble
像
似る

저는 아버지보다 어머니를 더 많이 **닮았어요**.

– 이/가 – 와/과 닮다
– 와/과 – 이/가 닮다
– 이/가 – 을/를 닮다

💡 '닮다'는 과거형 '닮았다'로 많이 써요.

동그랗다

⑱ [동그라타]
⑲ 'ㅎ'불규칙
⇨ Appendix p.484

to be round
圓、圓乎
丸い

홍하 씨는 얼굴이 **동그래요**.

– 이/가 동그랗다

⑭ 동그라미

똑같다

⑱ [똑깐따]

to be the same
一模一样
同じだ

저는 제 동생하고 키가 **똑같아요**.

– 이/가 똑같다
– 이/가 – 와/과 똑같다

⑭ 다르다 ⇨ p.34
⑭ 똑같이

뚱뚱하다

형 [뚱뚱하다]

to be fat, to be overweight
胖
太っている

준이치 씨는 옛날에는 **뚱뚱했는데** 지금은 날씬해졌어요.

– 이/가 뚱뚱하다

반 날씬하다 ⇨ p.40

마르다

형 [마르다]
불 '르'불규칙
⇨ Appendix p.482

to be gaunt, to be skinny
瘦
やせている

그 사람은 너무 **말라서** 아파 보여요.

– 이/가 마르다

💡 '날씬하다'는 보기 좋게 살이 빠진 것을 말하고, '마르다'는 살이 너무 많이 빠져서 조금 보기 안 좋은 것을 말해요. '마르다'는 과거형 '말랐다'로 많이 써요.

모습

명 [모습]

appearance
样子
姿

결혼식 때 신랑, 신부의 **모습**이 정말 행복해 보였어요.

모양

명 [모양]

a shape, a style
模样、样式
形

어떤 머리 **모양**을 좋아하세요?

목소리

명 [목쏘리]

a voice
嗓音
声

왕핑 씨는 **목소리**가 좋아요.

비슷하다

형 [비스타다]

to be similar
相似
似ている

오늘 커피숍에서 제 형하고 얼굴이 **비슷한** 사람을
봤어요.

– 이/가 비슷하다
– 이/가 – 와/과 비슷하다

살

명 [살]

flesh, fat
肉
肉付き

요즘 운동을 안 해서 **살**이 많이 쪘어요.

관 살이 찌다/빠지다, 살을 빼다

생기다

동 [생기다]

to look like, to happen
长、生
(容貌が)…だ、できる、生じる

왕위 씨는 어떻게 **생긴** 사람을 좋아하세요?

갑자기 급한 일이 **생겨서** 약속을 취소했어요.

– 이/가 – 게 생기다
– 이/가 – 처럼 생기다
– 이/가 생기다

관 잘생기다, 못생기다

💡 '생기다'는 과거형 '생겼다'로 많이 써요.

예쁘다

형 [예:쁘다]
불 '으'불규칙
⇨ Appendix p.484

to be pretty
漂亮、美丽
きれいだ、愛らしく美しい

수지 씨는 웃는 모습이 **예뻐요**.

– 이/가 예쁘다
– 이/가 –처럼 예쁘다

작다

형 [작:따]

to be small
小
小さい

저는 코와 입이 **작아요**.

– 이/가 작다
반 크다 ⇨ p.45

잘생기다

형 [잘생기다]

to be handsome, to be good looking
英俊、(长得) 好
ハンサムだ

요시코 씨의 남자 친구는 정말 **잘생겼어요**.

– 이/가 잘생기다
반 못생기다

💡 '잘생기다'는 과거형 '잘생겼다'로 많이 써요.

젊다

형 [점:따]

to be young
年轻
若い

요즘 시골에는 **젊은** 사람들이 많이 없어요.

– 이/가 젊다
– 이/가 –보다 젊다

짧다

형 [짤따]

to be short in length
短
短い

머리를 짧게 자르고 싶어요.

– 이/가 짧다

반 길다 ⇨ p.40

크다

형 [크다]
불 '으'불규칙
⇨ Appendix p.484

to be tall, to be big
大、(个子) 高
大きい

제 형은 키가 커서 농구를 잘해요.

– 이/가 크다

반 작다 ⇨ p.44

키

명 [키]

height
个子
身長

안나 씨는 키가 몇이에요?

관 키가 크다/작다

튼튼하다

형 [튼튼하다]

to be strong, to be robust
结实
丈夫だ、健康だ

몸이 튼튼한 사람이 공부도 잘합니다.

– 이/가 튼튼하다

유 건강하다

	몸	물건
튼튼하다	O	O
건강하다	O	X

✎ **반대말을 알맞게 연결하십시오.**

1. 크다 •　　　　　　　 • ① 짧다

2. 길다 •　　　　　　　 • ② 작다

3. 뚱뚱하다 •　　　　　 • ③ 날씬하다

✎ **다음 _____에 들어갈 단어를 고르십시오.**

4.
> 우리 형은 키가 180cm예요. 제 키도 180cm예요.
> 우리는 키가 _____.

① 닮았어요　　② 똑같아요　　③ 잘생겼어요　　④ 비슷해요

✎ **다음 _____에 들어갈 수 없는 말은 무엇입니까?**

5.
> 가　여보세요.
> 나　리에 씨? 저 피터예요.
> 가　저는 리에가 아니에요. 리에 엄마예요.
> 나　아, 죄송합니다. 목소리가 _____ 리에 씨라고 생각
> 　　했어요.

① 튼튼해서　　② 비슷해서　　③ 똑같아서　　④ 예뻐서

5 인생 | Life · 人生 · 人生

● track 05

결혼

명 [결혼]

marriage
结婚
結婚

친구 **결혼** 선물로 뭐가 좋을까요?

동 결혼하다
참 결혼 반지, 결혼 선물, 결혼 사진, 결혼식, 결혼기념일

고민

명 [고민]

worry
心事、苦恼
悩み

요즘 취직 문제 때문에 **고민**이 많아요.

동 고민하다
참 고민 상담, 고민 해결
관 고민이 있다/없다, 고민이 많다

고생하다

동 [고생하다]

to experience a hardship
辛苦
苦労する

처음에는 한국어를 몰라서 **고생했어요**.

– 이/가 고생하다

군대

명 [군대]

an army, the military
军队
軍隊

한국 남자들은 보통 몇 살에 **군대**에 가요?

꿈

명 [꿈]

a dream
梦、梦想
夢

어젯밤에 무서운 **꿈**을 꾸었어요.

제 어릴 때 **꿈**은 피아니스트가 되는 거였어요.

💡 '어젯밤에 무슨 꿈을 꾸었어요?'의 '꿈'은 잠잘 때 꾸는 꿈이에요. 하지만 '요시코 씨는 꿈이 뭐예요?'하면 '미래에 어떤 일을 하고 싶어요?'라는 뜻이에요.

나이

명 [나이]

an age
年龄
年齢

리에 씨가 올가 씨보다 **나이**가 세 살 많아요.

높 연세
참 나이 차이

데이트하다

동 [데이트하다]

to date
约会
デートする

왕핑 : **데이트할** 때 어디에 자주 가세요?

준이치 : 여자 친구가 영화를 좋아해서 극장에 자주 가요.

돌잔치

명 [돌잔치]

Korean celebration of a baby's first birthday
周岁宴会
満1歳の誕生会

아기 **돌잔치**에 친척들과 친구들을 초대했어요.

참 돌상

되다

동 [되다/뒈다]

to become
成、成为
なる

저는 어렸을 때 의사가 **되고** 싶었어요.

한국에 와서 한국말을 잘하게 **되었어요**.

– 이/가 되다
– 이/가 – (으)로 되다
– 게 되다

바라다

동 [바라다]

to wish, to hope
祝(願)、希望
望む、願う

건강하게 잘 지내시기를 **바랍니다**.

– 을/를 바라다
– 기를 바라다

💡 한국 사람들은 보통 '바라요'를 '바래요'로, '바랐어요'를 '바랬어요'로 잘못 말하기도 해요.

생년월일

명 [생녀눠릴]

the date of birth
出生年月日
生年月日

여기에 이름, 주소, **생년월일**을 적어 주세요.

생신

명 [생신]

a birthday (honorific form)
诞辰
お誕生日 (年長者への尊敬語)

다음 주 월요일이 아버지 **생신**인데 무슨 선물이 좋을까요?

🔳 생일 ⇨ p.50

49

생일
명 [생일]

a birthday
生日
誕生日

생일 축하합니다.

높 생신 ⇨ p.49
참 생일 파티, 생일 선물

성별
명 [성:별]

gender, the sex
性別
性別

아기가 태어나면 보통 제일 먼저 **성별**을 물어봐요.

신랑
명 [실랑]

a groom
新郎
新郎、花婿

결혼식에서 **신랑**은 신부의 왼쪽에 서요.

반 신부 ⇨ p.50

신부
명 [신부]

a bride
新娘
新婦、花嫁

웨딩드레스를 입은 **신부**가 정말 아름다워요.

반 신랑 ⇨ p.50

신혼

명 [신혼]

a new marriage
新婚
新婚

두 사람은 하와이로 **신혼** 여행을 떠났어요.

참 신혼 여행, 신혼 부부, 신혼 생활, 신혼집

어리다

형 [어리다]

to be young
小、年幼
幼い

앤디 씨는 저보다 두 살 **어려요**.

– 이/가 어리다
– 이/가 – 보다 어리다

관 나이가 적다

어린이

명 [어리니]

a child
儿童
子ども

앤디 : **어린이**날이 몇 월 며칠이에요?

안나 : 5월 5일이에요.

반 어른 ⇨ p.20

연세

명 [연세]

age (honorific form)
岁数
お年 (年長者への尊敬語)

피터 : 어머니 **연세**가 어떻게 되세요?

안나 : 올해 쉰셋이세요.

낮 나이 ⇨ p.48

운

명 [운:]

luck
运气
運 (運勢)

왕핑 : 난 정말 **운**이 없어요.
앤디 : 왜요?
왕핑 : 우산을 가지고 나온 날에는 날씨가 좋고,
　　　 우산을 안 가지고 나온 날에는 꼭 비가 와요.

관 운이 있다/없다, 운이 좋다/나쁘다　　　참 행운

이민

명 [이민]

emigration, immigration
移民
移民

요즘 한국 사람들이 **이민**을 많이 갑니다.

관 이민을 가다, 이민을 떠나다 (emigration)
　 이민을 오다 (immigration)

잔치

명 [잔치]

a feast
宴会
パーティー、祝宴

아버지의 60번째 생신 **잔치**를 호텔에서 했어요.

참 생일 잔치, 축하 잔치, 돌잔치

💡 돌잔치나 어른들 생신에는 '파티' 대신에 '잔치'를 많이 써요.

죽다

동 [죽따]

to die
死
死ぬ

우리 집 강아지가 어제 **죽었어요**.

명 죽음
반 살다 ⇨ p.410, 태어나다 ⇨ p.53　　　높 돌아가시다

축하

명 [추카]

congratulations

祝賀

祝い

리에 : 결혼 **축하**합니다.

앤디 : **축하**해 주셔서 감사합니다.

동 축하하다

참 축하 인사, 축하 카드, 축하 파티

취직

명 [취:직]

employment, getting a job

就业

就職

왕핑 씨는 대학교를 졸업한 후에 좋은 회사에 **취직**했어요.

동 취직하다, 취직되다

참 취직 시험

태어나다

동 [태어나다]

to be born

出生

生まれる

저는 부산에서 **태어나서** 서울에서 자랐어요.

반 죽다 ⇨ p.52

✏️ 다음 문장 안에 들어갈 알맞은 단어를 고르십시오.

1.

> 가 올가 씨, 동생 ㉠ _____가 몇 살이에요?
> 나 올해 스물한 살이에요.
> 가 그럼, 어머니 ㉡ _____는 어떻게 되세요?
> 나 쉰다섯이세요.

① ㉠ 연세 ㉡ 나이　　　　② ㉠ 연세 ㉡ 연세

③ ㉠ 나이 ㉡ 연세　　　　④ ㉠ 나이 ㉡ 나이

✏️ 다음 그림에 알맞은 단어를 〈보기〉에서 골라 쓰십시오.

| 보기 | 결혼하다　　취직하다　　태어나다　　죽다　　데이트하다 |

2. 　　**3.** 　　**4.**

(　　　　　) ⇒ (　　　　　) ⇒ (　　　　　)

5. 　　**6.**

⇒ (　　　　　) ⇒ (　　　　　)

✏️ 다음 〈보기〉와 관련 있는 단어를 고르십시오.

7.

| 보기 | 신랑　　　신부　　　신혼　　　축하 |

① 결혼　　　② 돌잔치　　　③ 취직　　　④ 생일

6 직업

Occupations · 职业 · 職業

가수

명 [가수]

a singer
歌手
歌手

요즘 한국에서 가장 인기 있는 **가수**가 누구예요?

간호사

명 [간호사]

a nurse
护士
看護師

병원에서 **간호사**가 제 팔에 주사를 놓았어요.

경찰

명 [경찰]

a police officer
警察
警察

길을 잃어버려서 **경찰**에게 길을 물어봤어요.

유 경찰관
참 경찰서

공무원

명 [공무원]

a government employee
公务员
公務員

저는 작년에 **공무원** 시험에 합격해서 지금 서울 시청에서 일하고 있어요.

과학자

명 [과학짜]

a scientist
科学家
科学者

어렸을 때 아인슈타인 같은 **과학자**가 되고 싶었어요.

교수

명 [교:수]

a professor
教授
教授

피터 : 아버지께서는 무슨 일을 하세요?
리에 : 대학 **교수**세요.

군인

명 [구닌]

military personnel
军人
軍人

우리 오빠는 지금 **군인**이에요.

참 군대

기술자

명 [기술짜]

a technician
技师
技術者

그 회사에서는 여러 나라에서 온 **기술자**들이 함께
일하고 있어요.

유 엔지니어

기자

명 [기자]

a reporter, a newspaperman
记者
記者

요시코 씨는 일본 신문사 **기자**인데 한국에서 일하고 있어요.

참 방송 기자, 신문 기자, 잡지 기자

농부

명 [농부]

a farmer
农夫
農夫

요즘 시골에는 젊은 **농부**들이 별로 없어요.

참 농사, 농업

님

접 [님]

Sir, Ma'am (honorific form)
用于人称后、表示尊称
〜さま

일본에서는 가르치는 사람을 '선생'이라고 부르지만, 한국에서는 '선생**님**'이라고 해야 해요.

참 사장님, 원장님, 교수님, 과장님

배우

명 [배우]

an actor, an actress
演员
俳優

어제 본 영화**배우**의 이름을 알고 싶어요.

참 여자 배우, 남자 배우, 영화배우, 연극배우

변호사

명 [변ː호사]

a lawyer
律师
弁護士

저는 **변호사**가 돼서 힘이 없고 가난한 사람들을 도와주고 싶어요.

참 판사, 검사

비서

명 [비ː서]

a secretary
秘书
秘書

비서가 사장님은 지금 자리에 안 계신다고 했어요.

승무원

명 [승무원]

a flight attendant, crew
乘务员
客室乗務員

비행기 **승무원**이 아주 친절해서 좋았어요.

참 비행기 승무원, 기차 승무원, 배 승무원

우체부

명 [우체부]

a mail carrier, a postman
邮递员
郵便配達員

오늘 오후에 **우체부** 아저씨가 소포를 배달해 주셨어요.

참 우체국

은행원

몡 [은행원]

a bank employee
银行职员
銀行員

저는 한국에 오기 전에 일본에서 3년 동안 **은행원**으로 일했어요.

의사

몡 [의사]

a doctor
医生
医者、医師

병원에 가서 **의사** 선생님한테 진찰을 받았어요.

높 의사 선생님

주부

몡 [주부]

a housewife
主妇
主婦

저희 어머니는 **주부**세요.

유 가정주부

직업

몡 [지겁]

a job, an occupation
职业
職業

직업을 선택할 때 무엇이 가장 중요해요?

참 직업 군인, 직업 선수

화가

몡 [화:가]

an artist, a painter
画家
画家

피카소는 세계적으로 유명한 **화가**예요.

✎ 다음 그림과 알맞은 단어를 연결하십시오.

1.
• • ① 간호사

2.
• • ② 화가

3.
• • ③ 배우

4.
• • ④ 경찰

5.
• • ⑤ 변호사

✎ 다음 설명에 알맞은 직업을 〈보기〉에서 찾아 쓰십시오.

보기　가수　승무원　기자　농부　과학자　공무원　교수　의사

6. 저는 노래를 잘합니다. 텔레비전에서 저를 볼 수 있습니다. 　　(　　)

7. 저는 비행기 안에서 일합니다. 저는 여러 나라 말을 할 수 있습니다. (　　)

8. 저는 대학교에서 학생들을 가르칩니다. 　　(　　)

9. 저는 신문사에서 일합니다. 사람들에게 새로운 뉴스를 알려 줍니다. (　　)

10. 저는 병원에서 일합니다. 아픈 사람들을 치료합니다. 　　(　　)

7 친구/주변 사람

Friends/Close Acquaintances
朋友/邻人 · 友人/知人

● track 07

교포

명 [교포]

a Korean residing abroad
侨胞
在外韓国人

한국 **교포**들은 일본, 미국, 중국에서 가장 많이 살고 있어요.

그분

대 [그분]

that person (honorific form)
那位
その方、あの方

앤디 : 미나 씨한테 처음 한국어를 가르쳐 주신 분이 누구세요?

미나 : **그분**은 안 선생님이신데 지금은 미국에서 한국어를 가르치고 계세요.

낮 그 사람
참 이분 ⇨ p.65, 저분 ⇨ p.66

남자

명 [남자]

a man, male
男人
男

한국 **남자**들은 대부분 군대를 가야 해요.

반 여자 ⇨ p.65

너

대 [너]

you

你

きみ、おまえ

나는 청소를 할게. **너**는 식사 준비를 해.

💡 두 명 이상일 때에는 '너희'라고 해요.

💡 너 + 가 → 네가
요즘 젊은 사람들은 말할 때 '네가' 대신 '니가'를 사용하는 경우가 많아요.

누구

대 [누구]

who

谁

誰

리사 : 저기 의자에 앉아 있는 분이 **누구**예요?

앤디 : **누구**요? 아, 폴 씨예요. 호주 사람이에요.

💡 여러 명일 때에는 '누구누구'라고 말해요.

💡 누구 + 가 → 누구가 → 누가

동창

명 [동창]

an alumnus, a schoolmate

同学

同窓生

저는 초등학교 **동창**들하고 1년에 한 번씩 만나요.

참 동창생, 동창회

들

접 [들]

a suffix to form the plural of the preceeding noun

～们

～たち

요즘 세일 기간이라서 백화점에 사람**들**이 많아요.

사람
명 [사람]

a person
人
人

저는 미국 **사람**이 아니에요. 영국 **사람**이에요.

선배
명 [선배]

a senior, an elder
前輩
先輩

폴 씨는 앤디 씨의 학교 **선배**예요.

반 후배
높 선배님
참 학교 선배, 과 선배, 직장 선배

숙녀
명 [숙녀]

a lady
淑女
淑女、レディー

신사, **숙녀** 여러분, 이 비행기는 10분 후에 인천 국제공항에 도착할 예정입니다.

반 신사 ⇨ p.63

신사
명 [신사]

a gentleman
紳士
紳士

영국을 **신사**의 나라라고 해요.

반 숙녀 ⇨ p.63

씨

접 [씨]

Mr./Mrs.
氏
～さん

리사 : 앤디 **씨**, 혹시 폴 **씨** 전화번호 알아요?
앤디 : 저는 모르는데요. 요시코 **씨**한테 한번 물어
　　　보세요.

아가씨

명 [아가씨]

a young and unmarried lady
姑娘
未婚の女性、お嬢さん

리사 : 앤디 씨, 여자 친구 있어요?
앤디 : 아니요, 좋은 **아가씨** 있으면 한 명 소개해 주
　　　세요.

아저씨

명 [아저씨]

a term used to address an older man whom you
don't know
大叔
おじさん

아저씨, 콜라 두 병하고 사이다 한 병 주세요.

반 아주머니 ⇨ p.64, 아줌마

아주머니

명 [아주머니]

a term used to address an older woman whom
you don't know
大婶
おばさん

(식당에서) **아주머니**, 여기 반찬 좀 더 주시겠어요?

반 아저씨 ⇨ p.64
준 아줌마

People
01

여자
명 [여자]

a woman, female
女人
女

보통 **여자**가 남자보다 더 오래 산다고 해요.

반 남자 ⇨ p.61

위로하다
동 [위로하다]

to comfort
安慰
なぐさめる、ねぎらう

시험에 떨어져서 슬퍼하는 친구를 **위로해** 주었어요.

– 이/가 – 을/를 위로하다

이분
대 [이분]

this person (honorific form)
这位
この方

이분은 내 고등학교 때 선생님이세요.

참 그분 ⇨ p.61, 저분 ⇨ p.66

저
대 [저]

I, me (honorific form)
我
わたし、わたくし

저는 앤디입니다. 미국에서 왔습니다.

💡 나이가 많은 사람 앞에서는 '나' 대신 '저'라고 말해요.
💡 저 + 가 → 제가

저분

대 [저분]

that person (honorific form)
那位
あの方 あそこにいらっしゃる方

안나 : **저분**은 누구세요?
피터 : **저분**은 우리 선생님이세요.

🔁 저 사람
참 이분 ⇨ p.65, 그분 ⇨ p.61

친구

명 [친구]

a friend
朋友
友達

저는 한국 **친구**를 많이 사귀고 싶어요.

친하다

형 [친하다]

to be close, to be friendly, to be familiar
亲近
親しい

앤디 씨와 피터 씨는 지난 학기에 같은 반에서
공부했어요. 그래서 아주 **친해요**.

– 이/가 – 와/과 친하다
– 와/과 – 이/가 친하다

혼자

명 [혼자]

alone
独自
一人、一人で

준이치 : 가족하고 같이 사세요?
요시코 : 아니요, **혼자** 살아요.

✎ 다음 중 반대말끼리 연결된 것이 <u>아닌</u> 것을 고르십시오.

1. ① 남자 — 여자　　　　② 아저씨 — 아주머니

　　 ③ 신사 — 숙녀　　　　④ 선배 — 동창

✎ 다음 빈칸에 들어갈 알맞은 말을 쓰십시오.

보기	이분	그분	저분

2. 앤디 씨, 인사하세요. ＿＿＿은 올가 씨예요.

3. 글쎄요. ＿＿＿은 모르는 사람인데요. 혹시 앤디 씨를 아세요?

✎ 다음 중 의미가 같은 것끼리 연결하십시오.

4. 교포　　•　　　　• ① 저보다 먼저 학교에 입학한 사람입니다.

5. 동창　　•　　　　• ② 다른 나라에 살고 있는 한국 사람입니다.

6. 선배　　•　　　　• ③ 같은 학교를 졸업한 사람입니다.

✎ **Let's look at how Korean words are related to Chinese Characters.**

a friend
朋友
友達

한국 친구를 많이 사귀고 싶어요.

친구 — p.66

a relative
亲戚
親戚

한국에서는 설날에 친척들이 모두 모입니다.

친척 — p.23

親 **친**

친하다
to be close
亲近
親しい

to be close
亲
親しい

친한 친구가 한국에
와서 같이 여기저기
구경했어요.

친하다 — p.66

to be unkind
不亲切、不热情
不親切だ

불친절한 식당에는 다시 가고 싶지 않아요.

불친절하다 — p.35

kindness
亲切、热情
親切だ

그 가게 점원은 참 친절해요.

친절 — p.38

02

교육

Education

Korean through Chinese Characters

네

감 [네]

yes
是、嗯
はい

선생님 : 앤디 씨, 숙제했어요?
앤디 : **네**, 했어요.

유 예 ⇨ p.73
반 아니요 ⇨ p.72

다시

부 [다시]

again
再
再び

다시 한 번 말씀해 주시겠어요?

단어

명 [다너]

a word
单词
単語

한국말을 잘하려면 **단어**를 많이 알아야 해요.

듣다

동 [듣따]
불 'ㄷ'불규칙
⇨ Appendix p.481

to listen
听
聞く

잘 **듣고** 따라 하세요.

– 이/가 – 을/를 듣다
– 에게서 – 을/를 듣다

명 듣기

Education 02

들리다

동 [들리다]

to be heard
听见
聞こえる

너무 시끄러워서 선생님 목소리가 잘 안 **들려요**.

– 이/가 들리다

관 듣다 ⇨ p.70

따라 하다

동 [따라하다]

to follow, to copy an action
跟着做
あとに付いて言う

선생님 말을 잘 듣고 **따라 해** 보세요.

– 이/가 – 을/를 따라(서) 하다

뜻

명 [뜯]

meaning
意思
意味

이 단어의 **뜻**을 잘 모르겠어요. 설명해 주세요.

유 의미 ⇨ p.92

맞다

동 [맏따]

to be right, to be correct
对
合っている

선생님 : 왕핑 씨, 전화번호가 234-5678이에요?

왕핑 : 네, **맞아요**.

반 틀리다 ⇨ p.94

71

아니다

형 [아니다]

not
不是
ちがう、〜ではない

저는 선생님이 **아니에요**. 학생이에요.

– 이/가 아니다

아니요

감 [아니요]

no
不
いいえ

리에 : 내일 학교에 와요?

피터 : **아니요**, 안 와요.

빈 네 ⇨ p.70, 예 ⇨ p.73

앉다

동 [안따]

to sit
坐
座る

여러분, 모두 자리에 **앉으세요**.

– 이/가 – 에 앉다

빈 서다 ⇨ p.362

알다

동 [알:다]
불 'ㄹ'불규칙
⇨ Appendix p.481

to understand, to know
知道
知っている、わかる

준이치 : 요시코 씨, 이 단어의 의미를 **알겠어요**?

요시코 : 네, **알겠어요**.

– 을/를 알다

빈 모르다 ⇨ p.81

여러분

대 [여러분]

everyone
各位、大家
みなさん

선생님 : **여러분**, 안녕하세요?
학생들 : 네, 안녕하세요?

예

감 [예:]

yes
是、嗯
はい

선생님 : 피터 씨!
피터 : **예**, 선생님.

유 네 ⇨ p.70
반 아니요 ⇨ p.72

외우다

동 [외우다/웨우다]

to memorize
背
覚える

한국어를 배울 때 단어 **외우는** 것이 제일 힘들어요.

- 을/를 외우다

이유

명 [이:유]

a reason
理由
理由

한국어를 배우는 **이유**가 뭐예요?

이해

명 [이:해]

understanding
理解
理解

한국에 처음 왔을 때에는 수업 시간에 하나도 **이해**할 수 없었어요.

- 을/를 이해하다

동 이해하다

읽다

동 [익따]

to read
读、念
読む

책 25쪽을 **읽어** 보세요.

- 을/를 읽다

명 읽기

자리

명 [자리]

a seat, room
位子
席

리사 : 여기 누구 **자리**예요?

앤디 : 폴 씨 **자리**예요.

💡 "자리 있어요?"라고 얘기할 때는 다음 두 가지 의미가 있어요. ①'제가 여기 앉아도 돼요?'의 의미와 ②'표가 있어요?'나 '빈 자리 있어요?'라는 의미예요.

조용히

부 [조용히]

quietly
安静地
静かに

지금 시험을 보고 있어요. **조용히** 해 주세요.

형 조용하다

질문

명 [질문]

a question
问题
質問

준이치 : 선생님, **질문** 있어요.

선생님 : 네, 말씀하세요.

동 질문하다
관 질문이 있다/없다

펴다

동 [펴다]

to open
翻开
ひらく

책 36쪽을 **펴세요**.

- 을/를 펴다
관 책을 펴다, 손을 펴다, 우산을 펴다

✎ 다음 그림과 맞는 동사를 〈보기〉에서 찾아 쓰십시오.

| 보기 | 듣다 | 읽다 | 조용히 하다 | 책을 펴다 |

1. (   )

2. (   )

3. (   )

4. (   )

✎ 다음 (   ) 안에 알맞은 단어를 〈보기〉에서 찾아 쓰십시오.

| 보기 | 자리 | 질문하세요 | 다시 | 따라 하세요 |

5. 선생님, 잘 모르겠어요. (   ) 설명해 주세요.

6. 선생님의 말을 듣고 똑같이 (   ).

7. 잘 모르는 것이 있으면 선생님께 (   ).

8. 여러분, (   )에 앉아 주세요.

2 수업

Lessons · 上课 · 授業

🔊 track **09**

가르치다

동 [가르치다]

to teach
教
教える

저는 한국에서 아이들한테 영어를 **가르치고** 있어요.

– 을/를 – 에게 가르치다

반 배우다 ⇨ p.99

가지다

동 [가지다]

to bring, to have
带、拿
持つ、所有する

오늘 한국어 회화 책을 **가지고** 왔어요?

– 을/를 가지다

관 가지고 가다/오다, 가지고 타다, 가지고 놀다
준 갖다

강연회

명 [강:연회]

a lecture meeting
演讲会
講演会

어제 한국과 일본 문화에 대한 **강연회**에 참석했어요.

결석

명 [결썩]

absence
缺席
欠席

선생님 : 올가 씨, 어제 왜 **결석**했어요?
올가 : 감기에 걸려서 학교에 못 왔어요.

동 결석하다
반 출석

궁금하다

혱 [궁금하다]

to be curious about
想知道
気になる

캉 씨가 시험을 안 봤네요. 그 이유가 **궁금해요**.

- 이/가 궁금하다

끝

명 [끋]

an end
尽头
最後、先端

복도 **끝**에 화장실이 있어요.

반 시작 ⇨ p.190, 처음 ⇨ p.276

끝나다

동 [끈나다]

to be over, to end
结束
終わる

방학이 언제 **끝나요**?

- 이/가 끝나다
반 시작하다, 시작되다

끝내다

동 [끈내다]

to finish
结束
終える

저녁 6시에 약속이 있어서 숙제를 5시까지 **끝내야** 해요.

- 을/를 끝내다
반 시작하다

노력하다

동 [노려카다]

to make an effort
努力
努力する

어려운 발음도 자꾸 **노력하면** 잘하게 될 거예요.

늦다

형 [늗따]

to be late
迟、晚
遅れる、遅い

수업 시간에 **늦지** 않으려고 택시를 탔어요.

오늘은 **늦었으니까** 내일 아침에 다시 이야기합시다.

- 이/가 - 에 늦다
- 이/가 늦다

대답하다

동 [대:다파다]

to answer, to respond
回答
答える

선생님이 하는 질문에 **대답해** 보세요.

- 에 대답하다

반 질문하다
묻다 ⇨ p.334

떠들다

동 [떠:들다]
불 'ㄹ'불규칙

⇨ Appendix p.481

to make a noise
吵、喧哗
騒ぐ

수업 시간에 큰 소리로 **떠들면** 안 돼요.

79

마치다

동 [마치다]

to finish, to complete
结束
終える

수업을 **마치고** 보통 친구들과 함께 점심을 먹어요.

- 을/를 마치다

말

명 [말:]

a talk, a chat
话
話、言葉

요시코 씨는 수업 시간에 **말**을 너무 많이 해서 시끄러워요.

높 말씀 ⇨ p.80
반 글 ⇨ p.88

말씀

명 [말:씀]

a talk, what is said (honorific form)
话
お言葉

왕핑 : 선생님, 죄송하지만 다시 한 번 **말씀**해 주시겠어요?

선생님 : 네, 천천히 다시 말해 줄게요.

낮 말 ⇨ p.80
동 말씀하다
관 말씀드리다

말하다

동 [말:하다]

to speak, to talk
说、说话
言う、話す

이걸 한국말로 뭐라고 **말해요**?

- 을/를 - 에게 말하다

모르다

동 [모:르다]
불 '르'불규칙
⇨ Appendix p.482

to not know
不知道
知らない、わからない

모르는 단어는 선생님께 물어보세요.

– 을/를 모르다

반 알다 ⇨ p.72

물어보다

동 [무러보다]

to ask, to inquire
询问
尋ねる

질문이 있으면 쉬는 시간에 **물어보세요**.

– 에게 – 을/를 물어보다

높 여쭤보다

발음

명 [바름]

pronunciation
发音
発音

리에 씨는 한국말 **발음**이 정확해요.

동 발음하다
관 발음이 좋다/나쁘다, 발음이 정확하다

발표

명 [발표]

presentation, an announcement
发表
発表

지금부터 한국 역사에 대해서 **발표**하겠습니다.

– 을/를 발표하다
– 에 대해(서) 발표하다

동 발표하다

복습

명 [복씁]

a review of lessons
复习
復習

수업 시간에 배운 것을 집에서 날마다 **복습**해요.

– 을/를 복습하다
동 복습하다
반 예습 ⇨ p.84

빌리다

동 [빌리다]

to lend, to borrow
借
借りる

앤디 씨, 사전 좀 **빌려** 주세요.
친구에게 한국어 책을 **빌려** 주었습니다.

– 이/가 – 에게 – 을/를 빌리다
참 빌려 오다/가다(to borrow), 빌려 주다(to lend)

설명

명 [설명]

explanation
说明
説明

선생님이 새 단어의 뜻을 **설명**해 주셨습니다.

– 을/를 – 에게 설명하다
동 설명하다

수업

명 [수업]

a class, a lesson
课
授業

학교 **수업**이 끝나면 보통 뭐 하세요?

동 수업하다
관 수업을 하다, 수업을 받다, 수업을 듣다

Education

02

숙제

명 [숙쩨]

homework, an assignment
作业
宿題

요즘 학교 **숙제**가 너무 많아서 힘들어요.

동 숙제하다
관 숙제를 내다

쓰다

동 [쓰다]
불 '으'불규칙
⇨ Appendix p.484

to write
写
書く

저는 매일 공책에 일기를 **써요**.

- 을/를 - 에 쓰다

명 쓰기 ⇨ p.92

💡 '쓰다'는 여러 가지 의미가 있어요.
① (편지를) 쓰다
② (맛이) 쓰다 ⇨ p.136
③ (물건을) 사용하다
④ (모자, 우산, 안경을) 쓰다 ⇨ p.470

알아듣다

동 [아라듣따]
불 'ㄷ'불규칙
⇨ Appendix p.481

to understand what was said or heard
听懂
聞き取る

안나 씨의 말은 너무 빨라서 **알아듣기** 힘들어요.

- 이/가 - 을/를 알아듣다

💡 '알아듣다'는 '듣고 이해하다'의 뜻이에요.

연습

명 [연습]

practice
练习
練習

저는 한국어 듣기 **연습**을 하기 위해 영화나 드라마를 많이 봐요.

- 을/를 연습하다

동 연습하다

열심히

부 [열씸히]

(study/work) hard
认真
一生懸命、熱心に

안나 씨는 **열심히** 공부해서 시험을 잘 봤어요.

예습

명 [예:습]

preparations, a preview of lessons
预习
予習

내일 학교에서 배울 부분을 **예습**했어요.

- 을/를 예습하다

동 예습하다
반 복습 ⇨ p.82

자세하다

형 [자세하다]

to be detailed, to be thorough
仔细
細かい

자세한 설명을 들으면 쉽게 이해할 수 있어요.

- 이/가 자세하다

부 자세히

적다

동 [적따]

to write
写、记
書く

여기에 이름과 주소를 **적으세요**.

- 에 - 을/를 적다

유 쓰다 ⇨ p.83

제목

명 [제목]

a title
題目
題名、タイトル

지금 읽고 있는 소설책 **제목**이 뭐예요?

참 영화 제목, 소설 제목, 수필 제목

졸다

동 [졸:다]
불 'ㄹ'불규칙
⇨ Appendix p.482

to doze
打盹儿
居眠りする

너무 피곤해서 수업 시간에 **졸았어요**.

- 이/가 졸다

졸리다

동 [졸:리다]

to be sleepy
犯困
眠い

졸리는 사람은 화장실에 가서 세수하고 오세요.

- 이/가 졸리다

준비

명 [준비]

preparation(s)
准备
準備、用意

올가 씨는 오늘 발표 **준비**로 바빠요.

- 을/를 준비하다
- 이/가 준비되다

동 준비하다, 준비되다

중

명 [중]

in the middle of
中
〜中、最中、途中

수업 **중**에는 전화하면 안 돼요.

- 중
- 중이다

참 수업 중, 운전 중, 통화 중, 공부 중

지각

명 [지각]

lateness, tardyness
迟到
遅刻

아침에 늦게 일어나서 수업에 **지각**했어요.

- 에 지각하다

동 지각하다
참 지각생
관 학교에 지각하다, 수업에 지각하다, 회사에 지각하다

찾다

동 [찯따]

to find
找
探す

사전에서 모르는 단어를 **찾아** 봤어요.

- 을/를 찾다

관 찾아보다, 찾아가다, 찾아오다

Education

02

✎ 다음 설명에 알맞은 단어를 〈보기〉에서 찾아 쓰십시오.

보기	지각	결석	복습	예습

1. 학교에 안 가요.   (   )
2. 학교나 회사에 늦게 가요.   (   )
3. 학교에서 배울 것을 미리 공부해요.   (   )
4. 학교에서 배운 것을 다시 공부해요.   (   )

✎ 다음 글을 읽고 질문에 답하십시오.

> 오늘 피곤해서 수업 시간에 너무 ㉠_____. 그래서 선생님께서
> "오늘 수업을 10분 일찍 ㉡_____."라고 ㉢ 말했지만, 저는 너무
> 피곤하고 정신이 없어서 ㉣ 잘못 들었어요. 수업이 ㉤_____ 친
> 구들이 모두 나갔지만 저는 계속 교실에 있었어요.

5. ㉠에 들어갈 알맞은 말을 고르십시오.

① 떠들었어요   ② 찾았어요   ③ 노력했어요   ④ 졸렸어요

6. ㉡과 ㉤에 들어갈 알맞은 말을 고르십시오.

① ㉡ 끝나겠어요 ㉤ 끝내고   ② ㉡ 끝내겠어요 ㉤ 끝나고

③ ㉡ 끝나겠어요 ㉤ 끝나고   ④ ㉡ 끝내겠어요 ㉤ 끝내고

7. ㉢의 높임말은 무엇입니까?

① 말씀   ② 이야기   ③ 발표   ④ 대화

8. ㉣과 바꿔 쓸 수 있는 말은 무엇입니까?

① 못 떠들었어요   ② 못 물어봤어요

③ 못 알아들었어요   ④ 못 찾았어요

각

관 [각]

each
各
おのおの、それぞれ、べつべつ

각 학교마다 교과서가 달라요.

참 각 사람, 각 학교

글

명 [글]

writing
文章、字
文章、文

자신의 생각을 **글**로 써 보세요.

반 말
참 글쓰기

글자

명 [글짜]

a letter, a character
字
文字

칠판에 적혀 있는 **글자**가 너무 작아요.

내용

명 [내용]

contents
内容
内容

이 책이 무슨 **내용**인지 잘 모르겠어요.

답하다

동 [다파다]

to answer
回答
答える

다음 글을 읽고 질문에 맞게 **답하십시오**.

– 에 답하다
반 묻다 ⇨ p.334
유 대답하다 ⇨ p.79

문장

명 [문장]

a sentence
句、文章
文章

다음 단어를 사용하여 **문장**을 완성하시오.

문제

명 [문제]

a question, a problem
问题
問題

이 **문제**는 너무 어려워서 잘 모르겠어요.

관 문제가 쉽다/어렵다, 문제를 풀다
참 연습 문제

물음

명 [무름]

a question
提问
問い

다음 글을 읽고 **물음**에 답하십시오.

동 묻다 ⇨ p.334

밑줄

명 [믿쭐]

an underline
下线
下線

다음 문장에서 **밑줄** 친 부분과 같은 것을 고르세요.

관 밑줄을 치다, 밑줄을 긋다

반대

명 [반대]

opposition
相反、反对
反対

시계 **반대** 방향으로 돌아가며 선생님 질문에 답해 보세요.

저는 올가 씨 생각에 **반대**해요.

동 반대하다, 반대되다
반 찬성
참 반대말

보기

명 [보기]

an example
例子
例

보기와 같이 문장을 바꾸십시오.

부분

명 [부분]

a part
部分
部分

이 글의 마지막 **부분**을 다시 써 보세요.

반 전체

90

빈칸

명 [빈칸]

a blank space (column)
空格
空欄

빈칸에 들어갈 말을 쓰세요.

관 빈칸을 채우다, 빈칸에 쓰다

숫자

명 [수ː짜/숟ː짜]

a number
数字
数字

좋아하는 **숫자**를 한 개 고르세요.

쉽다

형 [쉽따]
불 'ㅂ'불규칙
⇨ Appendix p.483

to be easy
容易
易しい

문제가 **쉬워서** 시험을 잘 봤어요.

– 이/가 쉽다

반 어렵다 ⇨ p.92

시험

명 [시험]

a test, an exam
考试
試験

시험 문제가 너무 어려워서 힘들었어요.

관 시험을 보다
참 시험 기간, 시험 문제, 중간시험, 기말시험

쓰기

명 [쓰기]

writing
写、写作
作文

저는 '**쓰기**'보다 '읽기'를 더 잘해요.

동 쓰다 ⇨ p.83

알맞다

형 [알맏따]

to be correct, to be suitable
恰当、合适
適している、ふさわしい、適当だ

빈칸에 **알맞은** 말을 고르세요.

- 이/가 알맞다
- 에/에게 알맞다

어렵다

형 [어렵따]
불 'ㅂ'불규칙
⇨ Appendix p.483

to be difficult
难
難しい

이 책은 모르는 단어가 많아서 읽기가 **어려워요**.

- 이/가 어렵다

반 쉽다 ⇨ p.91

의미

명 [의미]

meaning
意思
意味

이 단어의 **의미**가 뭐예요?

유 뜻 ⇨ p.71

잘못

명 부 [잘몯]

a mistake
错、错误
誤って、間違って

답안지에 답을 잘못 썼어요.

동 잘못되다, 잘못하다

💡 '잘못하다'는 '실수하다'라는 의미이고, '잘 못하다'는 '어떤 일에 익숙하지 않다'는 의미예요.

점

명 [점]

a point
分
点

이 문제는 5점짜리 문제예요.

점수

명 [점수]

score, a grade, a point
分数
点数

열심히 공부해서 좋은 점수를 받았습니다.

중간

명 [중간]

the middle, midterm
期中
中間

앤디 : 중간시험이 언제예요?
안나 : 다음 주 금요일이에요.

치다

동 [치다]

to underline
划 (线)
(線を) 引く

밑줄 친 부분과 바꿀 수 있는 말을 고르세요.

– 을/를 치다

관 밑줄을 치다

틀리다

동 [틀리다]

to be wrong
错
間違える

다음 문장에서 **틀린** 부분을 찾아서 고치세요.

– 이/가 틀리다
– 을/를 틀리다

반 맞다 ⇨ p.71

💡 한국 사람들이 '다르다'를 '틀리다'로 가끔 말하는데 이건 틀려요.

✏️ 〈보기〉를 보고 아래 질문에 맞는 답을 고르십시오.

> **보기**   다음 ㉠ 질문에 알맞은 ㉡ _____ 은/는 무엇입니까?

1. ㉠과 바꿔 쓸 수 있는 단어는 무엇입니까?

① 물음   ② 답   ③ 점   ④ 보기

2. ㉡에 들어갈 알맞은 단어는 무엇입니까?

① 밑줄   ② 답   ③ 빈칸   ④ 내용

✏️ 다음 중 어울리는 것끼리 연결하십시오.

3. 밑줄을   •   •   ① 보다

4. 시험을   •   •   ② 틀리다

5. 답이   •   •   ③ 치다

6. 문제를   •   •   ④ 풀다

✏️ 다음 질문에 답하십시오.

7. ㉠과 ㉡에 들어갈 말로 알맞은 것을 고르십시오

> • 저와 제 동생은 성격이 아주 ㉠ _____.
>
> • 맞으면 ○, ㉡ _____ × 하십시오

① ㉠ 다릅니다 ㉡ 틀리면   ② ㉠ 다릅니다 ㉡ 다르면

③ ㉠ 틀립니다 ㉡ 다르면   ④ ㉠ 틀립니다 ㉡ 틀리면

track 11

공부
명 [공부]

study, learning
学习
勉強

피터 : 한국어 **공부**가 어때요?
안나 : 어렵지만 재미있어요.

동 공부하다

교문
명 [교:문]

a school gate
校门
校門

교문 앞에서 두 시에 만납시다.

참 정문. 후문

교실
명 [교:실]

a classroom
教室
教室

학생들이 지금 **교실**에서 한국어를 공부하고 있어요.

규칙
명 [규칙]

a rule
规则
規則

앤디 : 교실에서 지켜야 하는 **규칙**은 뭐예요?
리에 : 교실에서는 한국말로만 얘기해야 돼요.

관 규칙을 지키다, 규칙을 정하다

기숙사

몡 [기숙싸]

a dormitory
宿舍
寄宿舍、寮

저는 학교 **기숙사**에서 살아요.

관 기숙사에서 살다, 기숙사에 들어가다
참 기숙사 생활

대학원

몡 [대:하권]

a graduate school
研究生院
大学院

저는 대학교를 졸업한 다음에 바로 **대학원**에 들어
갔어요.

참 대학원생

도서관

몡 [도서관]

a library
图书馆
図書館

어제 **도서관**에서 책을 빌렸어요.

도시락

몡 [도시락]

a lunch box
饭盒、盒饭
弁当

소풍 갈 때 **도시락**을 싸 가지고 갔어요.

관 도시락을 싸다

등

명 [등:]

a rank
等
等

이번 시험에서 요시코 씨가 1**등**을 했어요.

💡 '1등, 2등, 3등'처럼 보통 숫자하고 같이 써요.

등록

명 [등녹]

registration
注册
登録

한국어를 공부하려고 어제 학원에 **등록**했어요.

– 에 등록하다

동 등록하다, 등록되다
관 등록을 받다, 등록을 마치다
참 등록금, 등록 기간

모이다

동 [모이다]

to gather together
集合
集まる

같은 나라에서 온 사람들끼리 **모이세요**.

– 이/가 모이다
– (으)로 모이다
– 에 모이다
명 모임 ⇨ p.98

모임

명 [모임]

a social gathering, a meeting
聚会
集まり、会合

오늘 오후에 친구들하고 **모임**이 있어요.

동 모이다 ⇨ p.98
관 모임이 있다, 모임을 가지다, 모임에 나가다

반

명 [반]

a class
班
クラス、組

우리 **반**에는 중국 사람이 5명 있어요.

방학

명 [방학]

school holidays, a vacation
放假
学校の長い休み

준이치 : 이번 **방학** 때 뭐 할 거예요?
요시코 : 글쎄요. 아직 특별한 계획은 없어요.

동 방학하다

💡 학교에서는 '방학'이라고 하고, 회사에서는 '휴가'라고 해요.

배우다

동 [배우다]

to learn
学习
学ぶ

저는 2년 전부터 일본어를 **배우기** 시작했어요.

- 에서 – 을/를 배우다
- 에게서 – 을/를 배우다

반 가르치다 ⇨ p.77

분실물

명 [분실물]

a lost article
失物
遺失物、忘れ物

분실물을 찾으려면 어떻게 해야 하지요?

유 유실물
관 분실물을 찾다
참 분실물 센터

비다

동 [비:다]

to be empty
空
空く、空になる

수업이 끝난 후에 보통 **빈** 교실에서 혼자 복습해요.

–이/가 비다

참 빈 컵, 빈 그릇, 빈 택시

선생님

명 [선생님]

a teacher
老师
先生

선생님, 질문 있습니다.

반 학생 ⇨ p.104

소풍

명 [소풍]

a picnic, an excursion
郊游
遠足

리에 : 이번 학기에는 어디로 **소풍**을 가요?
캉 : 아마 올림픽공원으로 갈 거예요.

운동장

명 [운동장]

a playground
运动场
運動場

저는 주말마다 반 친구들하고 같이 학교 **운동장**에서 축구를 해요.

유학

명 [유학]

studying abroad
留学
留学

한국어를 배우려고 한국에 **유학**을 왔어요.

– 에서 유학하다
– 에 유학 가다/오다

동 유학하다
관 유학을 오다, 유학을 가다
참 해외 유학, 조기 유학

일기

명 [일기]

a diary, a journal
日记
日記

한국어 쓰기를 잘하고 싶으면 매일 한국어로 **일기**를 써 보세요.

참 일기장

입학

명 [이팍]

entering into school, matriculation
入学
入學

올가 : 대학교에 언제 **입학**했어요?
왕핑 : 3년 전에 **입학**했어요.

– 에 입학하다

동 입학하다
반 졸업 ⇨ p.102
참 입학 시험, 입학식, 입학 선물

잘하다

동 [잘하다]

to do well, to be good at
善长、做得好
上手だ

어떻게 하면 한국어를 **잘할** 수 있을까요?

– 을/를 잘하다

빈 못하다

전공

명 [전공]

a major
专业
專攻

제 **전공**은 경영학이에요.

– 을/를 전공하다

동 전공하다
관 전공을 바꾸다
참 부전공, 전공 과목

정문

명 [정문]

the front (main) gate
正门
正門

학교 **정문** 건너편에 아주 맛있는 식당이 있어요.

참 회사 정문, 학교 정문, 은행 정문

졸업

명 [조립]

graduation
毕业
卒業

저는 작년에 대학을 **졸업**했어요.

– 을/를 졸업하다

동 졸업하다
빈 입학 ⇨ p.101
참 졸업 시험, 졸업식, 졸업 선물

Education

02

지식

명 [지식]

knowledge
知识
知識

제 친구는 역사에 대한 **지식**이 많아요.

참 전문 지식

학교

명 [학꾜]

a school
学校
学校

왕핑 : 집에서 **학교**까지 얼마나 걸려요?
리에 : 걸어서 15분쯤 걸려요.

참 초등학교, 중학교, 고등학교, 대학교

학기

명 [학끼]

a semester
学期
学期

요시코 : 이번 **학기**가 끝나면 뭐 하실 거예요?
준이치 : 저는 일본에 돌아가려고 해요.

참 새 학기, 지난 학기, 이번 학기, 다음 학기, 봄 학기, 가을 학기

학년

명 [항년]

a grade, a school year
年级
学年

대학교 1**학년** 학생들을 신입생이라고 불러요.

학생

명 [학생]

a student
学生
学生

올가 : 앤디 씨 반에는 **학생**이 모두 몇 명 있어요?
앤디 : 저까지 모두 12명이에요.

참 초등학생, 중학생, 고등학생, 대학생, 일본 학생, 중국 학생

환영

명 [화녕]

welcome
欢迎
歡迎

한국에 오신 것을 **환영**합니다.

– 을/를 환영하다

동 환영하다
관 환영을 받다
참 환영 인사, 환영회

5 학습 도구

School Supplies · 学习用具 · 学習道具

🔊 track **12**

가위

명 [가위]

scissors
剪刀
はさみ

이 부분을 **가위**로 자르세요.

공책

명 [공책]

a notebook
笔记本
ノート

공책에 매일 일기를 써서 선생님께 드려요.

유 노트 ⇨ p.105

교과서

명 [교:과서]

a textbook
教科书
教科書

어떻게 하죠? **교과서**를 집에 놓고 왔어요.

유 교재

노트

명 [노트]

a notebook
笔记本
ノート

아저씨, **노트** 세 권만 주세요.

유 공책 ⇨ p.105

만년필

명 [만ː년필]

a fountain pen
钢笔
万年筆

요즘은 **만년필**을 쓰는 사람이 별로 없어요.

볼펜

명 [볼펜]

a ballpoint pen
圆珠笔
ボールペン

앤디 : **볼펜** 좀 빌려 주세요.
리에 : 여기 있어요.

사전

명 [사전]

a dictionary
词典、字典
辞書

글을 읽을 때 모르는 단어는 **사전**을 찾아 봐요.

관 사전을 찾다
참 한국어 사전, 영어 사전, 일본어 사전, 중국어 사전, 전자 사전

색연필

명 [생년필]

a colored pencil, a pencil crayon
彩色铅笔
色鉛筆

초등학교에 다닐 때는 **색연필**로 그림을 많이 그렸
어요.

수첩

명 [수첩]

a notepad, a notebook
手册
手帳

중요한 약속은 **수첩**에 꼭 메모를 해 놓으세요.

Education

02

연필

명 [연필]

a pencil
铅笔
鉛筆

공책에 **연필**로 글씨를 썼어요.

의자

명 [의자]

a chair
椅子
椅子

의자가 딱딱해서 앉으면 불편해요.

관 의자에 앉다

종이

명 [종이]

paper
纸
紙

이 책의 **종이**는 조금 두꺼운 것 같아요.

지우개

명 [지우개]

an eraser
橡皮
消しゴム、黒板消し

글씨를 잘못 써서 **지우개**로 지우고 다시 썼어요.

책

명 [책]

a book
书
本

책을 사러 서점에 가려고 해요.

책상

명 [책쌍]

a desk
书桌
机

책상 위에 책이 두 권 있어요.

테이프

명 [테이프]

a tape
录音带
テープ

이 **테이프**에는 뭐가 녹음되어 있어요?

권 테이프에 녹음하다
참 카세트테이프, 비디오테이프

필통

명 [필통]

a pencilcase
笔筒
筆入れ

필통에서 볼펜을 꺼냈어요.

✎ 다음 질문에 답하십시오.

1. 다음 ㉠~㉢에 알맞은 단어를 쓰십시오.

> 유치원 – (㉠) – 중학교 – (㉡) – 대학교 – (㉢)

㉠ _____ ㉡ _____ ㉢ _____

2. 다음 중 반대말끼리 연결된 것은 무엇입니까?

① 학기 – 학년 ② 전공 – 학생

③ 입학 – 졸업 ④ 책 – 책상

✎ 다음 설명에 알맞은 단어를 〈보기〉에서 찾아 쓰십시오.

> **보기** 도시락 규칙 도서관 분실물

3. 이것은 사람들이 '잃어버린 물건'입니다. ( )

4. 이것은 점심 때 먹으려고 학교나 회사에 갈 때 집에서 준비해 가는 것입니다.

( )

5. 사람들은 여기에서 책을 읽거나 책을 빌립니다. ( )

6. 이것은 모든 사람들이 지켜야 하는 약속입니다. ( )

✎ 다음 중 어울리는 것끼리 연결하십시오.

7. 사전을 • • ① 가다

8. 지우개로 • • ② 쓰다

9. 일기를 • • ③ 찾다

10. 소풍을 • • ④ 지우다

✎ **Let's look at how Korean words are related to Chinese Characters.**

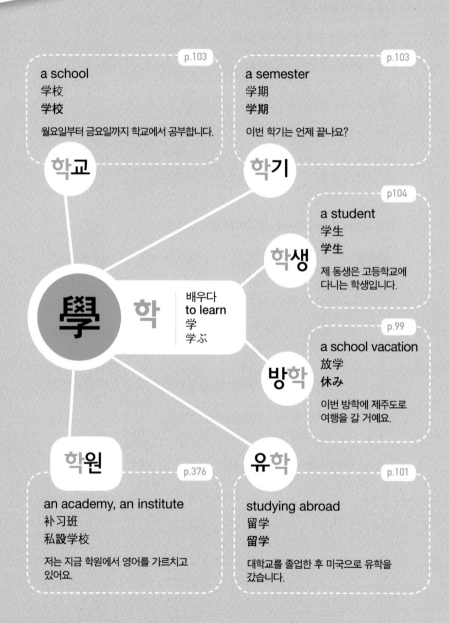

p.103

a school
学校
学校

월요일부터 금요일까지 학교에서 공부합니다.

학교

---

p.103

a semester
学期
学期

이번 학기는 언제 끝나요?

학기

---

p104

a student
学生
学生

제 동생은 고등학교에
다니는 학생입니다.

학생

學 | 학

배우다
to learn
学
学ぶ

---

p.99

a school vacation
放学
休み

이번 방학에 제주도로
여행을 갈 거예요.

방학

---

p.376

an academy, an institute
补习班
私設学校

저는 지금 학원에서 영어를 가르치고
있어요.

학원

---

p.101

studying abroad
留学
留学

대학교를 졸업한 후 미국으로 유학을
갔습니다.

유학

03

건강

Health

감기

명 [감:기]

a cold
感冒
風邪

어제 창문을 열고 잠을 자서 **감기**에 걸린 것 같아요.

관 감기에 걸리다, 감기가 들다, 감기가 심하다

건강

명 [건:강]

health
健康
健康

돈보다 **건강**이 더 중요해요.

- 이/가 건강에 좋다

형 건강하다

건강보험증

명 [건강보:험쯩]

a health insurance card
健康保险证
健康保険証

병원에 갈 때는 **건강보험증**을 꼭 가지고 가십시오.

💡 '의료보험증'이라고도 많이 말해요.

끊다

동 [끈타]

to quit, to give up a bad habit
戒
切る、やめる

건강을 위해서 술과 담배를 **끊으세요**.

- 을/를 끊다

Health

03

내과
명 [내:꽈]

the department of internal medicine
内科·
内科

소화가 안 되거나 배가 아프면 **내과**로 가야 합니다.

넘어지다
동 [너머지다]

to fall
摔倒
転ぶ

어제 계단에서 **넘어져서** 다리에 피가 났어요.

다치다
동 [다치다]

to get hurt
受伤
けがをする

교통 사고가 나서 많은 사람들이 **다쳤습니다**.

담배
명 [담:배]

a cigarette
香烟
タバコ

앤디 씨, 여기에서 **담배**를 피우면 안 돼요.

譚 담배를 피우다, 담배를 끊다

때문
명 [때문]

because (of)
因为
～ため、～せい

감기 **때문**에 기침을 자주 해요.

-기 때문에

💡 '때문'은 보통 '때문에'로 많이 사용 돼요.

병
명 [병:]

(an) illness, disease
病
病気

요시코 씨가 **병**에 걸려서 입원했어요.

관 병이 나다, 병에 걸리다, 병이 낫다, 병을 고치다

붕대
명 [붕대]

a sling, a bandage
绷带
包帯

팔을 다쳐서 팔에 **붕대**를 감았어요.

관 붕대를 감다, 붕대를 풀다

상처
명 [상처]

a wound
伤口
傷、傷口

아이가 넘어져서 얼굴에 **상처**가 났습니다.

관 상처가 나다, 상처가 낫다

소아과
명 [소:아꽈]

pediatrics
小儿科
小児科

안나 : 아기가 아프면 어디로 가야 해요?
왕위 : **소아과**로 가면 돼요.

안과

명 [안:꽈]

the department of ophthalmology
眼科
眼科

눈을 다쳤어요. **안과**에 가 봐야겠어요.

안약

명 [아:냑]

eye drops, eye wash
眼药
目薬

눈이 아프면 **안약**을 넣으세요.

관 안약을 넣다

약

명 [약]

medicine
药
藥

머리가 아픈데 **약** 좀 있어요?

관 약을 먹다, 약을 바르다, 약을 짓다

약국

명 [약꾹]

a pharmacy
药店
薬局

저는 어제 **약국**에서 감기약을 샀습니다.

약사

명 [약싸]

a pharmacist
药剂师
薬剤師

약사가 되려면, 약사 면허증이 있어야 해요.

관 약사 면허증

엑스레이

명 [엑스레이]

x-ray
X光、透視
レントゲン

팔을 다쳐서 엑스레이를 찍었어요.

관 엑스레이를 찍다
참 엑스레이 사진

연고

명 [연:고]

(an) ointment
軟膏
軟膏

상처가 난 곳에 이 연고를 발라 보세요.

관 연고를 바르다

입원

명 [이붠]

hospitalization, admission into the hospital
住院
入院

제 동생이 다리를 다쳐서 일주일 동안 병원에 입원했어요.

동 입원하다
반 퇴원
참 입원 환자, 입원 치료, 입원실

정형외과

명 [정:형외꽈
/정:형웨꽈]

orthopedics
骨外科
整形外科

뼈가 부러지면 정형외과로 가야지요?

Health

03

조심

⟨명⟩ [조:심]

carefulness

小心
用心

눈이 와서 길이 미끄러우니까 **조심**해서 가십시오.

- 을/를 조심하다

⟨동⟩ 조심하다
⟨부⟩ 조심히
⟨참⟩ 건강 조심, 불조심

주사

⟨명⟩ [주:사]

a shot, an injection

(打)針、注射
注射

감기 때문에 병원에 가서 **주사**를 맞았어요.

⟨반⟩ 주사를 맞다, 주사를 놓다

진찰

⟨명⟩ [진:찰]

(a) medical examination

看病
診察

진찰을 받으려면 몇 층으로 가야 해요?

- 을/를 진찰하다
- 이/가 - 에게 진찰을 받다

⟨동⟩ 진찰하다
⟨관⟩ 진찰을 받다

처방

⟨명⟩ [처:방]

a prescription

処方
処方

병원에서 **처방**해 준 약을 먹어야 합니다.

⟨동⟩ 처방하다
⟨참⟩ 처방전

117

치과

명 [치꽈]

a dentist
牙科
歯科

이가 아파서 **치과**에 다녀왔습니다.

치료

명 [치료]

medical treatment
治疗
治療

상처가 심하니까 병원에 가서 **치료**를 받으세요.

동 치료하다　　　　　　관 치료를 받다

파스

명 [파스]

a pain relieving patch for a muscle ache
膏药
湿布

허리가 아플 때는 **파스**를 붙여 보세요.

관 파스를 바르다, 파스를 붙이다　　　참 물파스

피우다

동 [피우다]

to smoke
抽(烟)、吸 (烟)
(タバコを) 吸う

왕위 씨, 담배 **피우세요**?

💡 한국 사람들이 '담배를 피다'라고 많이 쓰는데, 이건 틀린 표현이에요.
'담배를 피우다'가 맞아요.

환자

명 [환:자]

a patient
患者
患者

의사 선생님이 지금 **환자**를 치료하고 계십니다.

참 환자복, 입원 환자, 감기 환자

✎ 다음 그림에 알맞은 단어를 〈보기〉에서 찾아 쓰십시오

| 보기 | 내과 | 소아과 | 안과 | 정형외과 | 치과 |

1. (   )

2. (   )

3. (   )

4. (   )

5. (   )

✎ 다음을 읽고 질문에 답하십시오.

오늘 아침에 계단에서 넘어졌습니다. 다리를 ㉠ _____ 병원에 갔습니다. 의사 선생님께 ㉡ _____ 을/를 받고 ㉢ _____ 을/를 받아서 약국에 갔습니다. 약을 먹고 ㉣ _____ 을/를 바르니까 조금 괜찮아졌습니다.

6. ㉠에 들어갈 알맞은 단어를 고르십시오.

① 끊어서   ② 다쳐서   ③ 조심해서   ④ 피워서

7. ㉡과 ㉢에 들어갈 알맞은 단어로 연결된 것은 무엇입니까?

① ㉡ 처방전 ㉢ 진찰   ② ㉡ 치료 ㉢ 진찰

③ ㉡ 진찰 ㉢ 처방전   ④ ㉡ 진찰 ㉢ 치료

8. ㉣에 들어갈 알맞은 단어를 고르십시오.

① 연고   ② 안약   ③ 붕대   ④ 주사

기침

명 [기침]

a cough
咳嗽
咳

기침이 심해서 어제 잠을 못 잤어요.

- 이/가 기침을 하다

동 기침하다
관 기침이 나다, 기침이 멈추다, 기침이 심하다
참 기침 소리

나다

동 [나다]

to have, to break out when referring to symptoms
发、出
出る、生じる

감기에 걸려서 열도 **나고** 기침도 **나요.**

- 이/가 나다

관 땀이 나다, 냄새가 나다, 눈물이 나다, 콧물이 나다, 웃음이 나다, 열이 나다

낫다

동 [낟:따]
불 'ㅅ'불규칙
⇨ Appendix p.483

to get better, to get over an illness
痊愈、好点（了）
治る

감기가 다 **나았어요**? 오늘은 얼굴이 좋아 보여요.

- 이/가 낫다

관 병이 낫다, 감기가 낫다

Health

03

땀

명 [땀]

sweat
汗
汗

너무 더우니까 **땀**이 많이 나요.

관 땀이 나다, 땀을 흘리다, 땀을 닦다

못

부 [몯ː]

unable to
不、没
(したいが) できない

배가 아파서 밥을 **못** 먹겠어요.

못 + 《동사》

배탈

명 [배탈]

an upset stomach stomache
闹肚子
食あたり

여름에 찬 음식을 많이 먹으면 **배탈**이 나기 쉽습니다.

관 배탈이 나다

붓다

동 [붇ː따]
불 'ㅅ'불규칙
⇨ Appendix p.483

to swell
肿
腫れる、むくむ

어젯밤에 잠을 못 자서 눈이 **부었어요**.

- 이/가 붓다

121

설사

명 [설싸]

diarrhea
腹泻
下痢

어제 오래된 음식을 먹어서 **설사**를 했습니다.

동 설사하다
관 설사가 나다, 설사가 멈추다

소화

명 [소화]

digestion
消化
消化

너무 많이 먹어서 **소화**가 잘 안 돼요.

동 소화하다, 소화되다
참 소화제

숨

명 [숨:]

a breath
呼吸
息

숨을 한번 크게 쉬어 보세요.

관 숨을 쉬다, 숨을 멈추다

심하다

형 [심:하다]

to be severe
严重
ひどい

앤디 씨는 기침이 **심해서** 수업 시간에 밖으로
나갔습니다.

– 이/가 심하다
관 기침이 심하다, 감기가 심하다

Health

03

아프다

(형) [아프다]
(불) '으'불규칙
⇨ Appendix p.484

to be sick
疼
痛い、具合が悪い

피터 씨, 어디 **아파요**? 얼굴이 안 좋아 보여요.

– 이/가 아프다

(명) 아픔
(높) 편찮다 ⇨ p.124

약하다

(형) [야카다]

to be weak
弱
弱い

리에 씨는 몸이 **약해서** 자주 아픕니다.

– 이/가 약하다

열

(명) [열]

(a) fever
热、烧
熱

준이치 씨의 이마가 아주 뜨거워요. **열**이 심해요.

(관) 열이 있다, 열이 나다, 열이 내리다

증세

(명) [증세]

symptoms
病势
症状

증세가 어떻습니까?

(유) 증상
(관) 증세가 좋아지다/나빠지다

콧물

명 [콘물]

a runny nose
鼻涕
鼻水

코감기에 걸렸나 봐요. **콧물**이 많이 나요.

관 콧물이 나다, 콧물이 나오다, 콧물을 흘리다

특별히

부 [특뼐히]

especially, particularly
特別
特に

특별히 아픈 곳은 없고, 그냥 좀 피곤해요.

편찮다

형 [편찬타]

to be ill (honorific form)
疼、不舒服 (尊称)
具合が悪い (尊敬語)

할머니, 어디가 **편찮으신지** 말씀해 주세요.

– 이/가 편찮다

낮 아프다 ⇨ p.123

푹

부 [푹]

soundly, deeply
好好儿地
ぐっすり、ゆっくり 体を休める様

어제 **푹** 쉬어서, 감기가 많이 나은 것 같아요.

관 푹 쉬다, 푹 자다

풀리다

동 [풀리다]

to be relieved of something
解除、缓解
解ける、解消される、解決する

저는 운동을 하면 스트레스가 **풀려요**.

관 화가 풀리다, 기분이 풀리다, 스트레스가 풀리다

✎ 다음 _____에 들어갈 알맞은 표현을 고르십시오.

1.

> 가 피터 씨, 오늘은 좀 어때요?
>
> 나 오늘은 많이 좋아졌어요.
> _____ 이제 약을 안 먹어도 돼요.

① 다 나아서 ② 푹 나아서 ③ 못 나아서 ④ 심하게 나아서

✎ 다음 그림을 보고 알맞은 증세를 〈보기〉에서 골라 쓰십시오.

| 보기 | 기침을 해요 | 콧물이 나요 | 열이 나요 | 땀이 나요 |

2. (   )   **3.** (   )   **4.** (   )

✎ 다음 _____에 알맞은 단어를 고르십시오.

5.

> 어제 친구들과 재미있게 놀았어요. 그래서 스트레스가
> 다 _____.

① 쌓였어요 ② 풀렸어요 ③ 나았어요 ④ 심했어요

6.

> 감기에 걸렸어요. 열이 나고 목이 많이 _____.

① 부었어요 ② 약했어요 ③ 심했어요 ④ 편찮았어요

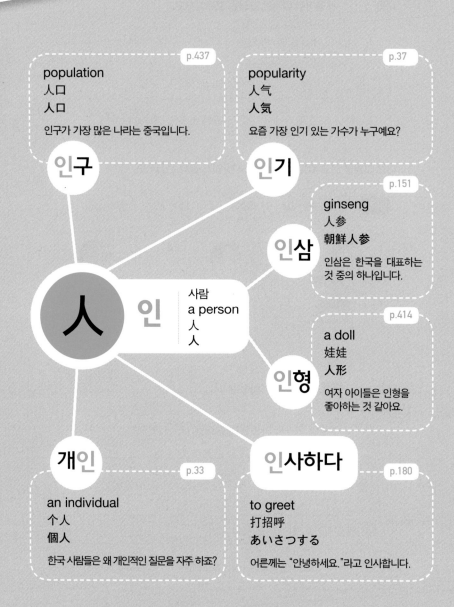

Korean through Chinese Characters

🖉 **Let's look at how Korean words are related to Chinese Characters.**

인구 — p.437
population
人口
人口
인구가 가장 많은 나라는 중국입니다.

인기 — p.37
popularity
人气
人気
요즘 가장 인기 있는 가수가 누구예요?

인삼 — p.151
ginseng
人参
朝鮮人参
인삼은 한국을 대표하는 것 중의 하나입니다.

人 / 인 / 사람 / a person / 人 / 人

인형 — p.414
a doll
娃娃
人形
여자 아이들은 인형을 좋아하는 것 같아요.

개인 — p.33
an individual
个人
個人
한국 사람들은 왜 개인적인 질문을 자주 하죠?

인사하다 — p.180
to greet
打招呼
あいさつする
어른께는 "안녕하세요."라고 인사합니다.

126

04

식생활

Eating Habits

간식

Light Meals · 零食 · おやつ

간식

명 [간식]

a light meal, a snack
零食
おやつ

오후 4시쯤 배가 조금 고파서 **간식**을 먹었어요.

과자

명 [과자]

a snack, a treat
点心
菓子

아이들만 **과자**를 좋아하는 것은 아니에요.

껌

명 [껌]

a chewing gum
口香糖
ガム

수업 시간에는 **껌**을 씹으면 안 됩니다.

관 껌을 씹다, 껌을 뱉다

떡

명 [떡]

Korean rice cake
年糕
餠

한국에서는 명절이나 잔칫날에 **떡**을 먹어요.

참 떡국, 찹쌀떡, 가래떡

만두

명 [만두]

a dumpling
饺子
餃子

여기요, 고기**만두** 1인분만 주세요.

참 찐만두, 물만두, 군만두, 만둣국

Eating Habits

04

빵

명 [빵]

bread
面包
パン

저는 아침에 보통 **빵**을 먹어요.

사탕

명 [사탕]

candy
糖果
飴

사탕을 너무 많이 먹으면 이가 나빠질 거예요.

참 솜사탕

식빵

명 [식빵]

a loaf(slice) of bread
面包片
食パン

내일 점심 때 먹으려고 **식빵**으로 샌드위치를 만들었어요.

아이스크림

명 [아이스크림]

(an) ice cream
冰激淋
アイスクリーム

아이스크림을 냉장고에 안 넣어서 다 녹아 버렸어요.

129

초콜릿

명 [초콜릳]

chocolate
巧克力
チョコレート

한국에서는 밸런타인데이에 **초콜릿**을 많이 선물해요.

케이크

명 [케이크]

a cake
蛋糕
ケーキ

친구 생일 파티를 하기 위해서 **케이크**를 샀어요.

참 생일 케이크, 축하 케이크

햄버거

명 [햄버거]

a hamburger
汉堡包
ハンバーガー

앤디 : 이 근처에 **햄버거** 가게가 있어요?

리엔 : 네, 저기 사거리를 지나면 큰 **햄버거** 가게가 하나 있어요.

Eating Habits

04

과일

명 [과일]

fruit(s)
水果
果物

과일 가게에 가서 딸기하고 수박을 샀어요.

참 과일 주스, 과일 가게

귤

명 [귤]

a tangerine
橘子
みかん

한국에서 **귤**이 제일 많이 나는 곳은 제주도예요.

딸기

명 [딸기]

a strawberry
草莓
いちご

딸기는 봄에 먹는 것이 제일 맛있어요.

참 딸기잼

바나나

명 [바나나]

a banana
香蕉
バナナ

왕위 : 아주머니, 이 **바나나** 얼마예요?
아주머니 : 1Kg(킬로그램)에 3,000원이에요.

밤

🔲 명 [밤:]

a chestnut
栗子
栗

한국에서는 겨울에 길거리에서
군**밤**을 파는 사람들이 많아요.

참 군밤

배

🔲◐ 명 [배]

a pear
梨
梨

불고기를 만들 때 **배**를 넣으면 맛이 더 좋아요.

복숭아

🔲 명 [복쑹아]

a peach
桃
桃

저는 복숭아 알레르기가 있어서
복숭아를 먹을 수 없어요.

사과

🔲☑◐ 명 [사과]

an apple
苹果
りんご

사과는 종류마다 맛과 모양이 달라요.

참 사과 주스, 사과잼

수박

🔲◐ 명 [수박]

a watermelon
西瓜
すいか

여름에 **수박**을 먹으면 정말 시원해요.

싱싱하다

🏳 [싱싱하다]

to be fresh
新鮮
新鮮だ

과일을 고를 때에는 **싱싱한** 것을 골라야 합니다.

🔁 신선하다

야채

🏳☑ [야:채]

vegetables
蔬菜
野菜

고기보다 **야채**를 많이 먹는 것이 건강에 좋아요.

🔁 채소 ⇨ p.134

오렌지

🏳☑⏺ [오렌지]

an orange
橙子
オレンジ

오늘 아침에 **오렌지** 주스 한 잔하고 식빵을 먹었어요.

🔆 오렌지 주스

오이

🏳 [오이]

a cucumber
黄瓜
きゅうり

오이로 만든 김치도 정말 맛있어요.

옥수수

🏳 [옥쑤수]

a corn
玉米
とうもろこし

한국의 강원도는 **옥수수**로 유명해요.

참외

📁

명 [차뫼/차눼]

a melon
甜瓜
マクワウリ

참외는 여름에 많이 먹는 과일이에요.

채소

📁

명 [채소]

vegetables
蔬菜
野菜

한국 음식 중에는 **채소**로 만드는 것이 많아요.

유 야채 ⇨ p.133

토마토

📁

명 [토마토]

a tomato
西红柿、番茄
トマト

한국에서는 왜 **토마토**를 과일 가게에서 팔아요?

참 토마토 케첩, 토마토 주스

파인애플

📁

명 [파이내플]

a pineapple
菠萝
パイナップル

한국에서는 **파인애플**을 대부분 외국에서 수입해요.

참 파인애플 주스

포도

📁☑️🔘

명 [포도]

grapes
葡萄
ぶどう

포도는 주스나 술로 만들어 먹기도 해요.

참 포도주, 포도 주스

| 3 | 맛 | Taste · 味道 · 味 |

● track **17**

달다

⟨형⟩ [달다]
⟨불⟩ 'ㄹ'불규칙
⇨ Appendix p.481

to be sweet
甜
甘い

설탕을 많이 넣어서 너무 **달아요.**

- 이/가 달다

⟨반⟩ 쓰다 ⇨ p.136

독하다

⟨형⟩ [도카다]

to be strong (liquor)
烈、冲
(アルコール度数が) 強い、きつい

저는 소주는 **독해서** 잘 못 마셔요.

- 이/가 독하다

맛

⟨명⟩ [맏]

flavor, taste
味道
味

이 찌개 **맛**이 좀 짜네요.

⟨관⟩ 맛있다 ⇨ p.135, 맛없다, 맛을 보다, 맛을 느끼다

맛있다

⟨형⟩ [마싣따/마딛따]

to be delicious
好吃
おいしい

어머니께서 만들어 주신 음식이 세상에서 제일
맛있어요.

- 이/가 맛있다

⟨반⟩ 맛없다

135

맵다

형 [맵따]
불 'ㅂ'불규칙
⇨ Appendix p.483

to be hot, to be spicy
辣
からい

처음 한국에 왔을 때에는 **매운** 음식을 잘 못 먹었는데, 지금은 잘 먹어요.

– 이/가 맵다

싱겁다

형 [싱겁따]
불 'ㅂ'불규칙
⇨ Appendix p.483

not to be salty enough, to be insipid
淡
味が薄い

라면에 물을 너무 많이 부어서 **싱거워요**.

– 이/가 싱겁다

쓰다

형 [쓰다]
불 '으'불규칙
⇨ Appendix p.484

to be bitter
苦
苦い

이 약은 너무 **써서** 먹기 힘들어요.

– 이/가 쓰다

반 달다 ⇨ p.135

짜다

형 [짜다]

to be salty
咸
塩辛い、しょっぱい

소금을 너무 많이 넣어서 음식이 **짜요**.

– 이/가 짜다

✐ 다음 그림을 보고 알맞은 과일 이름을 쓰십시오.

1.
(   )

2.
(   )

3.
(   )

4.
(   )

✐ 다음 음식의 공통된 맛에 어울리는 단어를 고르십시오.

5. **보기**   초콜릿   케이크   사탕

① 쓰다   ② 달다   ③ 맵다   ④ 짜다

6. 다음 중 '맛' 뒤에 연결될 수 <u>없는</u> 단어는 무엇입니까?

① 보다   ② 있다   ③ 없다   ④ 읽다

✐ 다음 〈보기〉를 보고 질문에 답하십시오.

보기   달다   시다   쓰다   싱겁다   독하다   싱싱하다

7. 밑줄 친 부분과 반대되는 의미의 단어를 위의 〈보기〉에서 찾아 쓰십시오.

> "아줌마, 이 과일이 좀 <u>오래된</u> 것 같아요."

(   )

8. 다음 _____에 맞는 단어를 위의 〈보기〉에서 골라 알맞게 고쳐 쓰십시오.

> "이 술은 아주 _____ 못 마시겠어요. 좀 약한 걸로 주세요."

(   )

9. 다음 _____에 맞는 단어를 위의 〈보기〉에서 골라 알맞게 고쳐 쓰십시오.

> "이 커피가 너무 _____ . 설탕을 좀 넣어야겠어요."

(   )

Eating Habits

04

굶다

동 [굼:따]

to skip a meal
饿
(食事を)欠かす、(食事を)抜く

아침, 점심을 다 **굶어서** 배가 너무 고파요.

– 이/가 – 을/를 굶다

남기다

동 [남기다]

to leave food on one's plate or a message
剩
残す

배가 너무 불러서 밥을 반이나 **남겼어요**.

친구가 전화를 안 받아서 음성 메시지를 **남겼어요**.

– 을/를 남기다
– 에게 – 을/를 남기다

냄새

명 [냄새]

a smell
气味、味儿
におい

이 식당은 음식 **냄새**가 심하게 나지 않아서 좋아요.

관 냄새가 나다, 냄새를 맡다, 냄새를 없애다, 냄새가 심하다

Eating Habits

04

들다

동 [들다]
불 'ㄹ'불규칙
⇨ Appendix p.481

to eat (honorific form)
吃、用
食べる

앤디 : 제가 만든 빵인데 한번 **드셔** 보세요.
리엔 : 와, 앤디 씨가 만든 거예요? 잘 먹을게요.

- 이/가 - 을/를 들다
낮 먹다 ⇨ p.140, 마시다 ⇨ p.139

따로

부 [따로]

separately
分別
別々に、別にして

한국에서는 밥과 국을 **따로** 먹지만 반찬과 찌개는
따로 먹지 않아요.

반 같이 ⇨ p.168

뜨겁다

형 [뜨겁따]
불 'ㅂ'불규칙
⇨ Appendix p.483

to be hot
烫
熱い

커피가 너무 **뜨거우니까** 조심하세요.

- 이/가 뜨겁다
반 차갑다 ⇨ p.145

마시다

동 [마시다]

to drink
喝
飲む

후식으로 콜라를 **마시고** 싶어요.

- 이/가《물, 음료수, 술 등》을/를 마시다
높 들다 ⇨ p.139

먹다

동 [먹따]

to eat
吃
食べる

오늘은 무슨 음식을 **먹으러** 갈까요?

- 이/가 - 을/를 먹다

높 잡수시다 ⇨ p.143, 들다 ⇨ p.139

메뉴

명 [메뉴]

a menu
菜单
メニュー

요시코 : 저기요, **메뉴** 좀 보여 주세요.
웨이터 : 네, 여기 있습니다.

유 차림표
참 메뉴판

목마르다

형 [몽마르다]
불 '르'불규칙
⇨ Appendix p.482

to be thirsty
口渴
のどが渇いている

목마르시면 물 한 잔 드릴까요?

- 이/가 목마르다

물

명 [물]

water
水
水

아줌마, 여기 **물** 좀 주세요.

Eating Habits

04

배고프다

형 [배고프다]
불 '으'불규칙
⇨ Appendix p.484

to be hungry
肚子饿
空腹だ

지금 **배고프면** 학생식당에 가서 밥을 먹을까요?

– 이/가 배고프다

반 배부르다 ⇨ p.141

💡 '배고프다'는 '배가 고프다'와 같아요.

배부르다

형 [배부르다]
불 '르'불규칙
⇨ Appendix p.484

to be full
肚子饱
満腹だ

밥을 너무 많이 먹어서 **배불러요**.

반 배고프다 ⇨ p.141

💡 '배부르다'는 '배가 부르다'와 같아요.

별로

부 [별로]

especially, particularly used in negative sentences
不怎么
あまり、たいして

저는 매운 음식을 **별로** 안 좋아해요.

분위기

명 [부뉘기]

an atmosphere
气氛
雰囲気

제 생일에 친구들하고 **분위기** 좋은 식당에서
맛있는 저녁을 먹으려고 해요.

수저

명 [수저]

a spoon and chopsticks
著匙
スプーンと箸

한국에서는 어른이 **수저**를 들기 전에 먼저 식사를
시작하면 안 돼요.

관 수저를 들다, 수저를 놓다

숟가락

명 [숟까락]

a spoon
勺子
匙、スプーン

한국에서 식사할 때에는 밥과 국은 **숟가락**으로
먹고, 반찬은 젓가락으로 먹어요.

참 젓가락 ⇨ p.144

시키다

동 [시키다]

to order
点、要
(食堂で) 注文する

왕핑 : 저기요, 저는 볶음밥을 **시켰는데**, 비빔밥이
　　　나왔어요.
종업원 : 아, 그래요? 죄송합니다. 금방 바꿔 드릴게요.

－이/가 －을/를 시키다

유 주문하다

식다

동 [식따]

to cool off
凉
冷める

커피가 너무 뜨거우니까 조금 **식은** 후에 드세요.

식당

명 [식땅]

a restaurant
饭厅
食堂

그 **식당**은 가격도 싸고 맛있어서 자주 가요.

유 음식점

식사

명 [식싸]

a meal
饭
食事

우리 회사 근처에는 식당이 많이 없어서 점심 **식사**
하기가 불편해요.

동 식사하다
참 아침 식사, 점심 식사, 저녁 식사

외식하다

동 [외:시카다/
웨:시카다]

to eat out
吃馆子
外食する

우리 가족은 한 달에 한 번쯤 **외식해요**.

잡수시다

동 [잡쑤시다]

to eat (honorific form)
吃、用 (敬语)
召し上がる

할아버지께서 지금 점심을 **잡수세요**.

– 이/가 – 을/를 잡수시다

유 드시다
낮 먹다 ⇨ p.140

Eating Habits

04

접시

명 [접씨]

a plate, a dish
盘子
皿

준이치 : 여기요, 개인 **접시** 좀 주시겠어요?
종업원 : 네, 알겠습니다.

젓가락

명 [젇까락]

chopsticks
筷子
箸

저는 아직 **젓가락**을 잘 쓰지 못해요.

참 숟가락 ⇨ p.142

종업원

명 [종어뷘]

an employee, a service worker
服务员
従業員、店員

이 식당은 **종업원**들이 참 친절해요.

주문

명 [주문]

an order
点、订购
注文

종업원 : 뭐 **주문**하시겠어요?
왕핑 : 비빔밥 하나하고 냉면 하나 주세요.

동 주문하다
관 주문을 받다
참 전화 주문, 인터넷 주문

집다

⊗ [집따]

to pick up
夾
つまむ

반찬을 먹을 때는 젓가락으로 **집어서** 먹어요.

– 이/가 – 을/를 – (으)로 집다

차갑다

옝 [차갑따]
불 'ㅂ'불규칙
⇨ Appendix p.483

to be cold
凉
冷たい

냉장고에 있는 **차가운** 물을 드세요.

– 이/가 차갑다

반 뜨겁다 ⇨ p.139

컵

뗑 [컵]

a cup
杯
コップ

준이치 : 여기요, 물 한 **컵**만 주시겠어요?
종업원 : 네, 갖다 드릴게요.

윤 잔
참 종이컵, 유리컵, 컵라면

145

| 5 | 요리 | Cooking · 料理/菜肴 · 料理 |

거품

명 [거품]

froth, a bubble
泡沫
泡

맥주를 너무 많이 따라서 **거품**이 생겼어요.

참 비누 거품

국물

명 [궁물]

broth, soup
汤水
スープ、汁

저는 국을 먹을 때 **국물**만 먹어요.

참 찌개 국물

굽다

동 [굽:따]
불 'ㅂ'불규칙
➡ Appendix p.482

to roast, to broil, to bake
烤
焼く

갈비를 불에 **구워서** 먹었어요.

－을/를 － 에 굽다
명 구이

그릇

명 [그륻]

a container, a bowl
碗
うつわ

반찬은 반찬 **그릇**에, 밥은 밥 **그릇**에, 국은 국 **그릇**에 담으세요.

참 《음식》 한/두/세… 그릇

기름

명 [기름]

oil
油
あぶら

김에 **기름**을 발라서 구웠어요.

참 식용 기름 = 식용유

끓이다

동 [끄리다]

to boil
煮
煮る、沸かす

배가 고파서 라면을 **끓여** 먹었어요.

– 을/를 끓이다

관 물을 끓이다, 국을 끓이다, 차를 끓이다

냄비

명 [냄비]

a pot
锅
なべ

냄비에 물을 두 컵 정도 넣고 끓이세요.

다지다

동 [다지다]

to chop up
捣
みじん切りにする

김치를 담글 때 마늘을 **다져서** 넣어요.

– 을/를 다지다

참 다진 마늘

만들다

🔲☑️⊙

동 [만들다]
불 'ㄹ'불규칙

⇨ Appendix p.481

to make
做
作る

리에 : 혹시 불고기를 어떻게 **만드는지** 아세요?
왕핑 : 네, 알아요. 제가 가르쳐 드릴까요?

–을/를 만들다
– (으)로 –을/를 만들다

방법

🔲☑️

명 [방법]

a method, a way
方法
方法

김치를 담그는 **방법**은 생각보다 간단해요.

볶다

🔲

동 [복따]

to fry
炒
炒める、煎る

밥과 김치를 **볶아서** 김치볶음밥을 만들었어요.

–을/를 볶다
명 볶음
참 볶음밥

붓다

🔲

동 [붇:따]
불 'ㅅ'불규칙

⇨ Appendix p.483

to pour
倒
注ぐ

빈 잔에 물을 **부었어요**.

–에 –을/를 붓다

썰다

동 [썰:다]
불 'ㄹ'불규칙
⇨ Appendix p.481

to chop, to slice, to cut up
切
きざむ

라면을 끓일 때 파를 조금 **썰어서**
넣으면 더 맛있어요.

Eating Habits
04

요리

명 [요리]

cooking, cuisine, a dish
料理、菜
料理

저는 한국 **요리**를 할 줄 몰라요.

동 요리하다
참 한국 요리, 중국 요리, 일본 요리, 서양 요리

직접

부 [직쩝]

in person, by oneself
亲自
直接、自分で

왕위 : 피터 씨, 이거 제가 **직접** 만든 음식인데
　　　한번 드셔 보세요.
피터 : 그래요? 맛있겠네요.

반 간접

차리다

동 [차리다]

to prepare, to set up
准备
(食事を) 用意する

오늘은 남편 생일이라서 맛있는 음식을 많이
차렸어요.

- 을/를 차리다

명 차림　　　　　관 상을 차리다

149

track **20**

녹차
명 [녹차]

green tea
绿茶
綠茶

한국, 중국, 일본에서는 **녹차**를 많이 마셔요.

맥주
명 [맥쭈]

beer
啤酒
ビール

슈퍼마켓에 가서 **맥주** 5병과 안주를 사 왔어요.

사이다
명 [사이다]

(a) clear soda pop
汽水、雪碧
サイダー

저는 콜라보다 **사이다**를 더 좋아해요.

소주
명 [소주]

soju Korean hard liquor
烧酒
燒酎

저는 **소주**를 반 병 정도 마실 수 있습니다.

술
명 [술]

alcohol
酒
酒

한국에서는 어른 앞에서 **술**을 마실 때 고개를 옆으로 돌려야 해요.

관 술을 마시다, 술에 취하다, 술을 끊다

식혜

명 [시케/시케]

shikhye a sweet non-alcoholic drink made from fermented rice
甘酒、甜酒 (醸)
シッケ 米を発酵させた飲み物

식사 후에 후식으로 시원한 **식혜**를 한 잔 마셨어요.

우유

명 [우유]

milk
牛奶
牛乳

밤에 잠이 안 오면 따뜻한 **우유**를 한 잔 마셔 보세요.

참 흰 우유, 초콜릿 우유, 딸기 우유

음료수

명 [음뇨수]

a beverage
饮料
飲料、飲み物

피터 : **음료수** 한 잔 드릴까요? 커피, 녹차, 콜라, 주스가 있는데요.
안나 : 커피 한 잔 주세요. 감사합니다.

인삼

명 [인삼]

ginseng
人参
朝鮮人参

인삼으로 만든 차를 마시면 건강에 좋아요.

참 인삼차, 홍삼

주스

명 [주스]

juice
果汁
ジュース

저는 아침마다 토마토 **주스**를 한 잔씩 마셔요.

151

차

명 [차]

tea
茶
茶

녹**차**, 홍**차**, 인삼**차** 등 **차**의 종류는 정말 많아요.

커피

명 [커피]

coffee
咖啡
コーヒー

요시코 : 우리 **커피**숍에 가서 **커피** 한 잔 할까요?
준이치 : 좋지요. 학교 앞 **커피**숍으로 갑시다.

콜라

명 [콜라]

coke
可乐
コーラ

피자를 시키시면 **콜라** 한 병을 무료로 드립니다.

홍차

명 [홍차]

black tea
红茶
紅茶

영국 사람들은 **홍차**를 즐겨 마셔요.

갈비

⌐▣◉

명 [갈비]

ribs
排骨
カルビ

갈비는 숯불에 구운 것이 제일 맛있어요.

참 소갈비, 돼지 갈비, 닭 갈비

국

⌐▣

명 [국]

soup
汤
スープ

술을 마신 다음 날 아침에는 콩나물**국**을 먹으면 좋아요.

김

⌐▣◉

명 [김:]

dried laver
紫菜
海苔

김 위에 밥과 여러 가지 채소를 올려놓고 말아서 먹는 음식을 **김**밥이라고 해요.

참 김밥

김치

⌐▣☑◉

명 [김치]

kimchi a traditional Korean spicy pickled or fermented side dish
泡菜
キムチ

한국을 대표하는 음식은 **김치**예요.

관 김치를 담그다, 김치가 익다, 김치가 시다
참 김장 김치, 물김치, 배추 김치, 김치 찌개

냉면

명 [냉면]

naengmyeon cold noodles
冷面
冷麵

더운 여름에 **냉면** 한 그릇을 먹으면 정말 시원해요.

참 물냉면, 비빔냉면

라면

명 [라면]

ramyeon instant noodles
方便面
インスタントラーメン

시간이 없을 때에는 **라면**을 끓여서 먹는 것이 제일 편해요.

참 컵라면

매운탕

명 [매운탕]

a spicy fish stew
辣海鲜汤
メウンタン 魚や野菜などを材料にした辛味のなべ物

낚시해서 잡은 물고기로 **매운탕**을 끓여서 먹었어요.

물냉면

명 [물랭면]

mulnaengmyeon cold noodles served in water
水冷面
スープ冷麵

저는 비빔냉면보다 시원한 **물냉면**을 더 좋아해요.

참 비빔냉면

반찬
명 [반찬]

a side dish
小菜
総菜、おかず

한국 식당에서 음식을 시키면 **반찬**은 공짜로 나와요.

참 도시락 반찬

밥
명 [밥]

rice
饭
ご飯

밥을 할 때에는 물의 양이 중요해요.
한국에서는 인사로 **밥**을 먹었느냐고 자주 물어봐요.

높 진지 ⇨ p.157

불고기
명 [불고기]

bulgogi thinly sliced seasoned beef or pork
烤肉
プルコギ

불고기를 먹을 때 상추에 싸서 먹으면 더 맛있어요.

비빔밥
명 [비빔빱]

bibimbap sauteed and seasoned vegetables, beef, a fried egg, and red pepper paste served over rice
拌饭
ビビンバ

비빔밥으로 제일 유명한 곳은 전주예요.

빈대떡

명 [빈대떡]

green-bean (lentil) pancake
绿豆煎饼
ピンデットク 緑豆の韓国式お好み焼き

한국 사람들은 비 오는 날에 **빈대떡**을 자주 부쳐 먹어요.

관 빈대떡을 부치다

삼계탕

명 [삼계탕/삼계탕]

samgyetang Korean chicken soup in which a whole chicken is stuffed with rice, ginseng, garlic, etc.
参鸡汤
サムゲタン 鶏肉と朝鮮人参などの薬剤を煮込だスープ

더운 여름에 **삼계탕**을 먹으면 힘이 나는 것 같아요.

생선

명 [생선]

(a) fish(es)
鱼
魚

저는 **생선**을 좋아해서 자주 먹어요.

💡 물 속에 사는 것은 '물고기', 먹기 위해서 잡은 물고기는 '생선'이라고 불러요.

설렁탕

명 [설렁탕]

seolleongtang ox bone soup
牛杂碎汤
ソルロンタン 牛の肉や骨を煮込んだ白色のスープ

점심 때 **설렁탕**을 먹었어요.

스파게티

명 [스파게티]

spaghetti
意大利面条
スパゲッティ

스파게티를 만들 때에는 면을 잘 삶아야 해요.

음식

명 [음식]

food
饮食
食べ物

피터 : 어느 나라 **음식**을 제일 좋아해요?
안나 : 저는 한국 **음식**을 제일 좋아해요.

관 음식을 먹다, 음식을 차리다, 음식이 입에 맞다
참 한국 음식＝한식, 일본 음식＝일식, 중국 음식＝중식, 서양 음식＝양식

자장면

명 [자장면]

jajangmyeon noodles with a Chinese bean sauce
炸酱面
ジャージャー麺

중국 음식 중에서 아이들이 제일 좋아하는 것은
역시 **자장면**이죠.

참 자장면 곱빼기

잡채

명 [잡채]

japchae a mixed dish of vegetables and meat
杂拌菜
チャプチェ 炒めた野菜に肉、春雨を混ぜ合わせた料理

한국에서는 생일 같은 특별한 날에 **잡채**를 자주
만들어요.

진지

명 [진지]

a meal (honorific form)
餐、饭
お食事 年長者への尊敬語

할아버지, **진지** 잡수세요.

낮 밥 ⇨ p.155

찌개

📢🔊

명 [찌개]

a pot stew
汤
チゲ 肉, 野菜, 豆腐などを味付けした鍋料理

저는 **찌개**나 국처럼 국물이 있는 음식을 좋아해요.

관 찌개를 끓이다
참 김치 찌개, 된장 찌개, 순두부 찌개, 동태 찌개

피자

📢🔊

명 [피자]

pizza
比萨饼
ピザ

거기 **피자** 가게죠? 여기 피자 한 판만 배달해 주세요.

한식

📢

명 [한:식]

Korean (style) food
韩餐
韓国料理

저는 양식보다는 **한식**이 더 입에 맞아요.

참 한식당

후식

📢

명 [후:식]

(a) dessert
尾食
デザート

종업원 : 손님, **후식**으로 뭘 드릴까요?
앤디 : 저는 커피 주세요.

✎ **다음 질문에 답하십시오.**

1. 다음 중 연결이 <u>다른</u> 하나는 무엇입니까?

① 배고프다 – 배부르다 　　② 따로 – 같이

③ 뜨겁다 – 차갑다 　　④ 드시다 – 잡수시다

✎ **다음 글을 읽고 질문에 답하십시오.**

> 오늘 아침을 ㉠ <u>안 먹어서</u> 점심 때 아주 ㉡_____ . 그래서
> 식당에 가서 음식을 많이 시켰어요. 하지만 너무 많이 시켜서 다 먹
> 지 못하고 음식을 ㉢_____.

2. ㉠과 같은 의미의 단어는 무엇입니까?

① 집다　　　② 굶다　　　③ 드시다　　　④ 차리다

3. ㉡과 ㉢에 들어갈 적당한 단어는 무엇입니까?

① ㉡ 배가 고팠어요 ㉢ 남겼어요 　　② ㉡ 배가 고팠어요 ㉢ 목말랐어요

③ ㉡ 배가 불렀어요 ㉢ 목말랐어요 　　④ ㉡ 배가 불렀어요 ㉢ 남겼어요

✎ **다음 질문에 답하십시오.**

4. 다음 중 어울리는 것끼리 연결하십시오.

① 냄새가 •　　　　　• ㉠ 먹다

② 식사를 •　　　　　• ㉡ 나다

③ 밥을 •　　　　　• ㉢ 하다

④ 음료수를 •　　　　　• ㉣ 마시다

5. 두 단어의 연결이 잘못 된 것은 무엇입니까?

① 물 – 붓다　② 생선 – 굽다　③ 찌개 – 볶다　④ 라면 – 끓이다

6. 다음 중 국물이 <u>없는</u> 음식은 무엇입니까?

① 빈대떡　　② 설렁탕　　③ 매운탕　　④ 삼계탕

track 22

간장

명 [간장]

soy sauce
酱油
しょうゆ

잡채를 만들 때 **간장**을 많이 넣으면 짜요.

감자

명 [감자]

a potato
土豆
じゃがいも

감자를 갈아서 감자전을 만들었어요.

계란

명 [계란/게란]

an egg
鸡蛋
たまご

아침에 보통 **계란** 프라이와 토스트를 먹어요.

유 달걀

고기

명 [고기]

meat
肉
肉

고기보다 채소를 많이 먹어야 건강에 좋아요.

참 소고기, 돼지고기, 닭고기, 양고기

고추

명 [고추]

red pepper
辣椒
とうがらし

저는 **고추**처럼 매운 것은 잘 못 먹어요.

참 고추장, 고춧가루

꿀

명 [꿀]

honey
蜂蜜
はちみつ

감기 기운이 있을 때에는 **꿀**을 물에 타서 드셔
보세요.

닭

명 [닥]

a chicken
鸡
鶏

춘천은 **닭**갈비로 유명해요.

당근

명 [당근]

a carrot
胡萝卜
にんじん

우리 엄마는 아침마다 **당근** 주스를 만들어 주세요.

참 당근 주스

돼지

명 [돼:지]

a pig
猪
豚

한국 사람 중에는 **돼지** 고기를 좋아하는 사람이 많아요.

참 돼지 고기, 돼지 갈비

마늘

명 [마늘]

garlic
蒜
にんにく

한국 음식에는 대부분 **마늘**이 들어가요.

미역

명 [미역]

brown seaweed
海带
わかめ

한국에서는 아기를 낳았을 때나 생일에 **미역**국을 먹어요.

참 미역국

배추

명 [배:추]

Korean cabbage
白菜
白菜

한국 사람들이 제일 많이 먹는 김치는 **배추** 김치예요.

설탕

명 [설탕]

sugar
食糖
砂糖

저는 보통 커피에 **설탕**을 두 숟가락 넣어서 마셔요.

소고기

명 [소고기]

beef
牛肉
牛肉

요즘 **소고기** 값이 내렸어요.

유 쇠고기

소금

명 [소금]

salt
盐
塩

국에 **소금**을 너무 많이 넣어서 짜요.

쌀

명 [쌀]

rice
大米
米

우리 아이는 **쌀**로 만든 과자를 좋아해요.

참 찹쌀, 보리쌀

양파

명 [양파]

an onion
洋葱
玉ねぎ

저는 **양파**를 좋아해서 스파게티를 만들 때 많이 넣어요.

오징어

명 [오징어]

a squid
鱿鱼
いか

서양 사람들은 보통 구운 **오징어** 냄새를 싫어해요.

참 물오징어, 말린 오징어, 오징어포, 구운 오징어

재료

🗩
명 [재료]

ingredients
材料
材料、食材

같은 **재료**로 요리를 해도 만드는 사람에 따라 맛이 달라요.

파

🗩
명 [파]

a green onion
葱
ねぎ

찌개나 국을 끓일 때 **파**를 제일 마지막에 넣으세요.

후추

🗩
명 [후추]

pepper
胡椒
胡椒

스프에 **후추**를 뿌려서 먹었어요.

관 후추를 뿌리다

✎ 다음 _____에 들어갈 알맞은 단어를 〈보기〉에서 찾아 쓰십시오.

| 보기 | 계란 | 마늘 | 설탕 | 소금 | 후추 |

1. 음식이 조금 싱거워요. _____을/를 더 넣으세요.

2. 저는 단 음식을 좋아해요. _____을/를 더 넣어 주세요.

✎ 다음 설명에 알맞은 단어를 〈보기〉에서 찾아 쓰십시오.

| 보기 | 고추 | 배추 | 미역 | 쌀 | 오징어 |

3. 한국에서는 생일에 이것으로 국을 끓여 먹어요.　　　　　(　　　　)

4. 이것은 아주 매워요. 빨간색도 있고, 초록색도 있어요.　　(　　　　)

5. 한국 사람들은 이것을 아주 많이 먹어요. 이것으로 밥을 만들어요. (　　)

6. 이것으로 김치를 만들어요. 채소예요.　　　　　　　　　　(　　　　)

7. 이것은 바다에서 살아요. 다리가 10개예요.　　　　　　　(　　　　)

✎ 문제를 읽고 질문에 답하십시오.

8. 다음 중 삼계탕은 무엇으로 만듭니까?

① 소고기　　　② 닭고기　　　③ 돼지고기　　　④ 양고기

9. 밑줄 친 부분을 뜻하는 단어는 무엇입니까?

| 보기 | 김밥은 당근, 계란, 김, 소고기, 밥으로 만들어요. |

① 재료　　　② 양념　　　③ 반찬　　　④ 국물

Eating Habits

04

📝 **Let's look at how Korean words are related to Chinese Characters.**

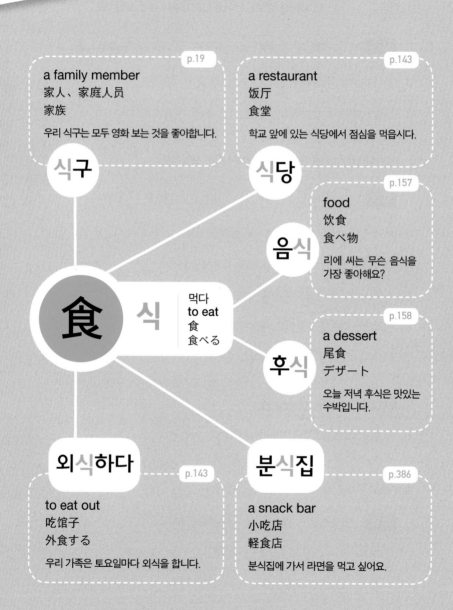

p.19
a family member
家人、家庭人员
家族

우리 식구는 모두 영화 보는 것을 좋아합니다.

식구

p.143
a restaurant
饭厅
食堂

학교 앞에 있는 식당에서 점심을 먹읍시다.

식당

p.157
food
饮食
食べ物

리에 씨는 무슨 음식을 가장 좋아해요?

음식

食

식

먹다
to eat
食
食べる

p.158
a dessert
尾食
デザート

오늘 저녁 후식은 맛있는 수박입니다.

후식

외식하다

p.143
to eat out
吃馆子
外食する

우리 가족은 토요일마다 외식을 합니다.

분식집

p.386
a snack bar
小吃店
軽食店

분식집에 가서 라면을 먹고 싶어요.

166

05

일상생활

Everyday Life

갑자기

부 [갑짜기]

suddenly
突然
突然、急に

갑자기 중요한 일이 생겨서 약속 시간에 늦었어요.

같이

부 [가치]

together
一起
いっしょに

영화를 보러 가는데 **같이** 갑시다.

– 하고 같이

동 같이하다
유 함께 ⇨ p.172
반 따로 ⇨ p.139

기다리다

동 [기다리다]

to wait
等候
待つ

지금 가고 있으니까 5분만 더 **기다려** 주세요.

– 을/를 기다리다

기억

명 [기억]

remembrance, memory
记忆
記憶、思い出

갑자기 친구의 이름이 **기억**나지 않았어요.

– 을/를 기억하다

동 기억하다
관 기억이 나다, 기억이 있다/없다, 기억력이 좋다/나쁘다

꼭
😮☑️🔊
(부) [꼭]

to be sure to, surely
一定
必ず、ぜひ

다음 주에 시험이 있으니까 학교에 **꼭** 나오세요.

만나다
😮☑️🔊
(동) [만나다]

to meet
见面
会う

작년에 여행을 가서 **만난** 친구가 한국에 올 거예요.

- 을/를 만나다
- 와/과 만나다

(명) 만남
(반) 헤어지다 ⇨ p.172

물론
😮🔊
(명)(부) [물론]

of course
当然
もちろん

친구와의 약속은 **물론**이고 한번 한 약속은 꼭 지켜야 해요.

물론 예쁘고 똑똑한 사람이 좋아요.

- 은/는 물론이다

보통
😮☑️🔊
(명)(부) [보:통]

usual, usually
一般
普通

올가 씨는 **보통** 때와 다른 옷을 입고 약속 장소에 나갔어요.

보통 몇 시에 퇴근합니까?

(관) 보통이다

스케줄

명 [스케줄]

a schedule
日程 (安排表)
スケジュール

내일은 **스케줄**이 복잡해서 약속하기가 어렵습니다.

관 스케줄이 복잡하다, 스케줄을 잡다, 스케줄을 짜다

시간

명 [시간]

time
时间
時間

왕위 씨는 **시간**이 있을 때마다 책을 읽습니다.

관 시간이 있다/없다, 시간이 나다, 시간이 걸리다
참 약속 시간, 수업 시간, 식사 시간

안녕

감 [안녕]

Hello, Hi, Bye, Goodbye
你好、再见
こんにちは、さようなら 会った時や別れる時のあいさつ

안녕, 잘 가. 또 만나자.

형 안녕하다
부 안녕히

약속

명 [약쏙]

an appointment, a promise to meet someone
约定
約束

약속 시간이 몇 시예요?

동 약속하다
관 약속을 지키다, 약속을 잡다, 약속을 깨다, 약속이 있다/없다, 약속을 정하다

Everyday Life

05

잊다

동 [읻따]

to forget
忘记
忘れる

오늘이 친구의 생일인데 깜빡 **잊었어요**.

- 을/를 잊다
관 잊어버리다

정하다

동 [정:하다]

to decide
决定
決める

약속 장소를 어디로 **정할까요**?

- 을/를 정하다
- 을/를 - (으)로 정하다

정확하다

형 [정:화카다]

to be precise
准确
正確だ

정확한 시간과 장소를 알려 주세요.

- 이/가 정확하다
부 정확히
반 부정확하다

지내다

동 [지:내다]

to spend the time, to get along
度过
過ごす

요즘 행복하게 **지내고** 있습니다.

- 게 지내다

취소하다

동 [취소하다]

to cancel
取消
取り消す

날씨 때문에 비행기표 예약을 **취소했어요**.

- 을/를 취소하다

명 취소

함께

부 [함께]

together
一起
いっしょに

이번 방학에는 가족들과 **함께** 여행을 가기로 했어요.

- 와/과 함께

유 같이 ⇨ p.168

헤어지다

동 [헤어지다]

to part, to separate
分手
別れる

어젯밤에 친구들과 몇 시에 **헤어졌어요**?

- 와/과 헤어지다

반 만나다 ⇨ p.169

✏ **다음 표현 중 맞지 <u>않는</u> 것을 고르십시오.**

1. ① 기억력이 좋아요.　　② 기억이 잊어버려요.

③ 기억이 나요.　　④ 기억을 해요.

2. ① 안녕히 사세요.　　② 안녕히 가세요.

③ 안녕히 주무세요.　　④ 안녕히 계세요.

3. ① 시간이 있어요.　　② 시간이 없어요.

③ 시간이 걸려요.　　④ 시간이 지내요.

4. ① 약속을 해요.　　② 약속을 지켜요.

③ 약속을 정확해요.　　④ 약속을 정해요.

✏ **다음 중 관계가 <u>다른</u> 것은 무엇입니까?**

5. ① 같이 – 함께　　② 만나다 – 헤어지다

③ 잊다 – 기억하다　　④ 정하다 – 취소하다

✏ **다음 대화의 _____에 공통적으로 들어갈 말은 무엇입니까?**

6.
> 가　요즘 어떻게 _____?
>
> 나　잘 _____.

① 정확해요　　② 정해요

③ 지내요　　④ 취소해요

고맙다

형 [고:맙따]
불 'ㅂ'불규칙
⇨ Appendix p.482

to be thankful
谢谢
ありがたい

그동안 도와준 친구들이 정말 **고마웠습니다**.

– 이/가 고맙다

명 고마움
유 감사하다

괜찮다

형 [괜찬타]

to be good, okay
可以
かまわない、大丈夫だ

오늘 저녁에 시간 **괜찮아요**?

– 이/가 괜찮다

글쎄

감 [글쎄]

well…, I'm not sure…
难说
さあ 分からないとき

수지 : 저 분이 누구신지 아세요?
왕위 : **글쎄**요, 잘 모르겠는데요.

관 글쎄요

다행

명 [다행]

luck, good fortune
万幸、幸运
さいわい

심하게 다치지 않아서 정말 **다행**입니다.

형 다행하다
부 다행히
관 다행이다, 다행으로

덕분

명 [덕뿐]

thanks to
托 (…的)福
おかげ

제가 졸업한 것은 모두 선생님 **덕분**입니다.

관 덕분에, 덕분이다, 덕분으로

똑똑하다

형 [똑또카다]

to be smart, to be clever
聪明
頭がよい、利口だ

리에 씨는 아주 **똑똑한** 사람이라서 공부를 잘합니다.

- 이/가 똑똑하다
부 똑똑히

미안하다

형 [미안하다]

to be sorry, to be regrettable
抱歉
申し訳ないこと、申し訳ない

친구에게 거짓말을 한 것이 너무 **미안했습니다**.

명 미안
유 죄송하다 ⇨ p.181

믿다

동 [믿따]

to believe, to trust
相信
信じる

저는 부모님께서 하시는 말씀은 모두 **믿습니다**.

- 을/를 믿다

명 믿음

반갑다

형 [반갑따]
불 'ㅂ'불규칙
▷ Appendix p.483

to be glad
高兴
うれしい

오랜만에 다시 만나서 정말 **반가웠습니다**.

- 이/가 반갑다

명 반가움

반말

명 [반ː말]

a low form of speech
非敬语
ぞんざいな口調

처음 만나는 사람에게 **반말**을 하면 안 됩니다.

동 반말하다
반 존댓말

별일

명 [별릴]

an unusual event
特别的事
特別な用事、特に変わったこと

별일 없으면 저 좀 도와주시겠어요?

관 별일이 있다/없다, 별일이다

뵙다

동 [뵙:따/뷉:따]

to meet (honorific form)
拜見
お目にかかる

선생님을 **뵙고** 드릴 말씀이 있습니다.

- 을/를 뵙다

반 보다

비밀

명 [비:밀]

a secret
秘密
秘密

이건 **비밀**이니까 다른 사람에게 말하지 마세요.

관 비밀이 있다/없다, 비밀이다, 비밀을 지키다, 비밀로 하다

사과

명 [사:과]

an apology
道歉
謝罪

친구에게 거짓말을 해서 미안하다고 **사과**했습니다.

- 에게 - 을/를 사과하다

동 사과하다
관 사과를 받다
참 사과의 말, 사과의 말씀, 사과 편지

사귀다

동 [사귀다]

to make friends
(结) 交
つきあう

안나 씨는 한국 친구를 많이 **사귀었습니다.**

- 와/과 사귀다
- 을/를 사귀다
관 친구를 사귀다, 애인을 사귀다

성함

명 [성:함]

a name (honorific form)
尊姓大名
お名前 (尊敬語)

실례지만, 성함이 어떻게 되세요?

낮 이름 ⇨ p.179

소개

명 [소개]

introduction
介绍
紹介

여러분에게 피터 씨를 소개하겠습니다.

– 에게 – 을/를 소개하다

동 소개하다, 소개되다
관 소개를 받다
참 직업 소개, 자기소개

싸우다

동 [싸우다]

to fight
打架
戦う、けんかをする

어제 집 앞에서 아이들이 싸우고 있었습니다.

– 이/가 – 와/과 싸우다

명 싸움

알아보다

동 [알아보다]

to inquire about, to look into
打听
しらべる

고향에 가려고 비행기 표를 알아봤습니다.

– 을/를 알아보다

웬일

명 [웬ː닐]

for what matter
什么事
何ごと

웬일이세요? 학교에 일찍 왔네요.

관 웬일이다, 웬일로

💡 한국 사람들이 쓸 때 '왠일'이라고 잘못 쓸 때가 많아요.

이름

명 [이름]

a name
名字
名前

이름이 뭐예요?

높 성함 ⇨ p.178
관 이름을 짓다, 이름을 부르다, 이름을 쓰다

이야기

명 [이야기]

a conversation
(谈)话、故事
話、物語

요시코 씨는 **이야기**하는 것을 좋아합니다.

– 이/가 – 와/과 이야기하다
– 을/를 – 에게 이야기하다

동 이야기하다
관 이야기를 듣다, 이야기를 나누다

💡 말할 때는 '얘기'라고 많이 해요.

179

인사

명 [인사]

a greeting
打招呼
あいさつ

여러분, 인사하세요. 새로 오신 선생님이십니다.

– 에게 인사하다
– 와/과 인사하다

동 인사하다
권 인사를 나누다, 인사를 드리다, 인사를 받다, 인사를 시키다
참 감사 인사, 축하 인사, 안부 인사

잃다

동 [일타]

to lose
丟失
失う、(道に) 迷う

시내가 너무 복잡해서 길을 **잃었어요.**

– 을/를 잃다

권 잃어버리다

💡 '잃다'는 물건에, '잊다'는 기억에 사용해요.

자기

명 [자기]

oneself
自己
自分

피터 씨는 **자기** 일을 항상 열심히 합니다.

참 자기 자신, 자기소개

Everyday Life

05

죄송하다

형 [죄:송하다/
줴:송하다]

to be sorry for
抱歉
申し訳ない

늦어서 **죄송합니다**.

– 이/가 – 에게 죄송하다
– 아/어/여서 죄송하다

유 미안하다 ⇨ p.175

지키다

동 [지키다]

to keep
守
守る

다른 사람과 약속한 것은 꼭 **지켜야** 합니다.

– 을/를 지키다

관 약속을 지키다, 출근 시간을 지키다, 비밀을 지키다, 차례를 지키다

쳐다보다

동 [처:다보다]

to stare, to look at
看、仰望
見上げる

친구가 내 이름을 불러서 **쳐다봤어요**.

– 을/를 쳐다보다
관 얼굴을 쳐다보다

파티

명 [파티]

a party
宴会
パーティー

이번 주말에 내 생일 **파티**를 하고 싶어요.

유 잔치 ⇨ p.52
관 파티를 열다
참 생일 파티, 축하 파티

특별하다

형 [특뼐하다]

to be unique, to be special
特別
特別だ

그 사람 목소리는 좀 **특별해서** 금방 알 수 있어요.

혹시

부 [혹씨]

perhaps, by chance
或许
もしかして

혹시 우리 전에 만난 적이 있나요?

✎ **다음 대화를 읽고 질문에 답하십시오.**

> 피터   선생님, 안녕하세요?
> 선생님 네, 안녕하세요? 피터 씨, 오랜만이에요.
>   어떻게 지내요?
> 피터   선생님 ㉠_____에 잘 지냅니다.
>   자주 찾아 뵙지 못해서 죄송합니다.
>   이 사람은 제 친구입니다.
> 안나   처음 ㉡_____. 제 ㈎이름은 안나입니다.
> 선생님 만나서 ㉢_____. 저는 박수지예요.

1. 지금 피터 씨는 선생님께 안나 씨를 _____ 하고 있습니다.

  ① 소개   ② 인사   ③ 이야기   ④ 사과

2. ㉠에 들어갈 말은 무엇입니까?

  ① 다행   ② 덕분   ③ 별일   ④ 웬일

3. ㉡과 ㉢에 들어갈 적당한 말은 무엇입니까?

  ① ㉡ 뵙겠습니다 ㉢ 반갑습니다   ② ㉡ 죄송합니다 ㉢ 반갑습니다

  ③ ㉡ 고맙습니다 ㉢ 뵙겠습니다   ④ ㉡ 뵙겠습니다 ㉢ 미안합니다

4. ㈎의 높임말은 무엇입니까?   (   )

✎ **다음 _____에 알맞은 단어를 〈보기〉에서 찾아 고쳐 쓰십시오.**

보기	똑똑하다	잃어버리다	사과하다	사귀다

5. 제 친구는 공부도 잘하고 기억력이 좋습니다. 아주 _____.

6. 친구와의 약속을 지키지 못했습니다. 그래서 미안하다고 _____.

7. 리에 씨는 항상 웃고 친절해서 친구들을 잘 _____.

8. 오늘 아침에 지하철에 가방을 놓고 내려서 그 가방을 _____.

과장

🏳 명 [과장]

the head of a department
科长
課長

저하고 같이 일하는 분은 김 **과장**님입니다.

참 과장님

구하다

🏳☑ 동 [구하다]

to look for, to seek
求、找
求める、探す

대학을 졸업하고 직장을 **구하고** 있습니다.

- 을/를 구하다

유 찾다 ⇨ p.86
곤 집을 구하다, 일자리를 구하다, 직장을 구하다, 사람을 구하다

그만

🏳 부 [그만]

to that extent only, no more than that, enough
到此为止
止め、辞め

자, 오늘은 일을 **그만** 하고 집에 갑시다.

근무

🏳 명 [근:무]

work
工作
勤務

어느 회사에서 **근무**하세요?

- 이/가 - 에서 근무하다

동 근무하다
유 일 ⇨ p.192

184

Everyday Life

05

남다

동 [남:따]

to remain
剩余
残る

친구를 만날 시간이 좀 **남아서** 더 있다가 퇴근하려고 해요.

– 이/가 남다

관 시간이 남다, 돈이 남다, 음식이 남다

다니다

동 [다니다]

to go (to), to attend
来往、上
通う

저는 학교에 **다니고**, 오빠는 회사에 **다녀요**.

– 에 다니다
– 을/를 다니다

관 회사에 다니다, 직장에 다니다, 학교에 다니다, 여행을 다니다, 등산을 다니다

대신

명 [대:신]

instead of
代替
代わり（に）

과장님 **대신**에 제가 출장을 가기로 했어요.

– 대신에
– 을/를 대신하다

동 대신하다

대화

명 [대:화]

conversation, a dialogue
对话
対話、会話

저는 빨리 한국말로 **대화**하고 싶어요.

– 이/가 – 와/과 대화하다

동 대화하다

동료

명 [동뇨]

a coworker, a colleague
同事
同僚、仲間

오늘 회사 **동료**들과 영화를 보러 갈 거예요.

참 직장 동료, 회사 동료

드리다

동 [드리다]

to give (honorific form)
给 (敬语)、呈、献
さしあげる

월급을 받으면 부모님께 생활비를 좀 **드리고** 싶어요.

- 에게 - 을/를 드리다

낮 주다 ⇨ p.312
관 선물을 드리다, 돈을 드리다, 인사를 드리다, 말씀을 드리다

메모

명 [메모]

a memo
便条、留言
メモ

오늘 회의 내용을 수첩에 **메모**했어요.

- 에 - 을/를 메모하다

동 메모하다
관 메모를 남기다

면접

명 [면:접]

an interview
面试
面接

오늘은 회사 사장님과 **면접**을 보는 날입니다.

동 면접하다
관 면접을 보다
참 면접시험

무리

📣 명 [무리]

unreasonableness, impossibility
过分
無理

매일 아침 7시까지 출근하는 것이 저에게는 **무리**입니다.

동 무리하다
관 무리이다, 무리가 아니다

바쁘다

형 [바쁘다]
불 '으'불규칙
 Appendix p.484

to be busy
忙
いそがしい

지금은 조금 **바쁘니까** 이따가 통화합시다.

- 이/가 바쁘다
반 한가하다 ⇨ p.194

방문

명 [방:문]

a visit
访问
訪問

우리 회사에 중요한 손님이 **방문**하기로 했습니다.

- 을/를 방문하다
- 에 방문하다
동 방문하다

방해

명 [방해]

interruption
妨碍
妨害、じゃま

지금 앤디 씨는 회의중이니까 **방해**하지 마세요.

- 을/를 방해하다
- 에게 방해되다
동 방해하다, 방해되다

번역

명 [버녁]

translation
翻译
翻訳、訳

이 책은 일본어로 **번역**이 되어 있습니다.

- 을/를 - (으)로 번역하다
- 이/가 - (으)로 번역되다

동 번역하다, 번역되다

복사

명 [복싸]

a copy
复印
コピー

이 서류를 세 장만 **복사**해 주세요.

- 을/를 복사하다

동 복사하다, 복사되다

부탁

명 [부:탁]

a request, a favor
拜托
お願い、依頼

피터 씨가 이 서류를 팩스로 보내달라고 **부탁**했습니다.

- 에게 - 을/를 부탁하다

동 부탁하다
관 부탁을 받다, 부탁을 들어주다, 부탁이 있다

붙이다

동 [부치다]

to paste
贴
付ける、貼る

편지 봉투에 우표를 **붙여서** 보내 주세요.

- 에 - 을/를 붙이다

💡 편지를 보내는 것은 '부치다'라고 해요. 발음이 같으니까 조심하세요.

188

사무실

명 [사:무실]

an office
办公室
オフィス、事務室

제가 일하는 **사무실**은 종로에 있습니다.

사장

명 [사장]

the president of a company or business
社长、总经理
社長

지금 **사장**님께서는 자리에 안 계십니다.

참 회사 사장, 신문사 사장

서류

명 [서류]

documents
文件、资料
書類

내일 회의에 필요한 **서류**를 준비해 주세요.

관 서류를 준비하다, 서류를 정리하다

수고

명 [수:고]

efforts
辛苦
苦労、骨折り、手間

오늘 일이 다 끝났습니다. **수고**하셨습니다.

동 수고하다
관 수고가 많다

💡 나이가 자기보다 많은 사람에게는 '수고하세요'라고 말하지 않아요.

스트레스

명 [스트레스]

stress
精神压力
ストレス

요즘 회사 일 때문에 **스트레스**를 많이 받고 있습니다.

관 스트레스를 받다, 스트레스가 쌓이다, 스트레스를 풀다, 스트레스가 풀리다

승진하다

동 [승진하다]

to be promoted
升职
昇進する

김 과장님, 부장으로 **승진하신** 것을 축하합니다.

- 이/가 - (으)로 승진하다

시작

명 [시:작]

the start, the beginning
开始
始まり、開始

우리 회사는 아침 9시에 일을 **시작**합니다.

- 을/를 시작하다
- 이/가 시작되다

동 시작하다, 시작되다
참 수업 시작, 근무 시작
반 끝 ⇨ p.78

실례

명 [실례]

excuse, impoliteness
失礼
失礼

실례지만, 사장님 방은 어디에 있습니까?

- 이/가 실례하다

동 실례하다, 실례되다
관 실례가 많다, 실례이다

실수
명 [실쑤]

a mistake
失误
しくじり、しっぱい

이번 일은 왕펑 씨가 실수를 한 것 같습니다.

– 이/가 실수하다

동 실수하다

아르바이트
명 [아르바이트]

a part-time job
小时工
アルバイト

대학생들은 방학 때 아르바이트를 많이 합니다.

동 아르바이트하다
참 대학생 아르바이트, 아르바이트 자리

💡 요즘 젊은 사람들은 줄여서 '알바'라고도 해요.

예의
명 [예의/예이]

etiquette
礼貌
礼儀

한국 사람들은 예의를 중요하게 생각합니다.

관 예의가 있다/없다, 예의를 지키다

의논
명 [의논]

consultation, counsel
商量
相談

그 일은 사장님과 의논하세요.

– 이/가 –와/과 –을/를 의논하다

동 의논하다

191

익숙하다

영 [익쑤카다]

to be familiar
习惯
慣れている

지금은 회사 생활에 **익숙해져서** 괜찮아요.

– 이/가 – 에 익숙하다

반 서투르다

일

명 [일:]

work
工作、活儿
こと、仕事、用事、事情

지금 회사에서 무슨 **일**을 합니까?

– 이/가 – 에서 일하다

동 일하다
관 일이 있다/없다, 일을 시작하다/끝내다, 일이 많다
유 근무 ⇨ p.184

자동판매기

명 [자동판매기]

a vending machine
自动售货机
自動販売機

회사에서는 **자동판매기** 커피를 많이 마십니다.

관 자판기, 커피 자동판매기, 음료수 자동판매기

💡 '자동판매기'를 줄여서 '자판기'라고 많이 말해요.

조건

명 [조껀]

a condition
条件
条件

어떤 **조건**의 회사를 찾고 있어요?

관 조건적, 조건이 있다/없다, 조건이 중요하다

Everyday Life

05

직원

명 [지권]

an employee
职员
職員

우리 회사에서 일하는 **직원**은 500명쯤 됩니다.

참 동료 직원, 회사 직원

직장

명 [직짱]

a place of employment, a work place
工作单位
職場

올가 씨, 오빠가 일하는 **직장**은 어디입니까?

출근

명 [출근]

going to work, attendance at office
上班
出勤

출근 시간에는 교통이 아주 복잡합니다.

– 에 출근하다
– (으)로 출근하다

동 출근하다
반 퇴근 ⇨ p.194
참 출근 시간, 출근 버스

출장

명 [출짱]

a business trip
出差
出張

다음 주에 미국으로 **출장**을 갑니다.

관 출장을 가다, 출장을 오다
참 해외 출장, 지방 출장, 출장 중

큰일
명 [크닐]

a huge problem, a big trouble, a serious matter
大事
一大事、大変

회의에 늦으면 **큰일**이니까 빨리 준비하세요.

관 큰일이다, 큰일이 나다

통역
명 [통역]

interpretation
翻译、口译
通訳

앤디 씨, 영어로 **통역** 좀 해 주세요.

– 이/가 –을/를 –(으)로 통역하다

동 통역하다
관 통역사

퇴근
명 [퇴:근/퉤:근]

leaving work, getting off work
下班
退勤

일이 많아서 밤 9시까지 **퇴근**을 할 수 없습니다.

동 퇴근하다
반 출근 ⇨ p.193
관 퇴근이 늦다/빠르다
참 퇴근 시간

한가하다
형 [한가하다]

to be free, not to be busy
闲暇
ひまだ

오늘 오후에는 일이 없어서 조금 **한가했습니다**.

– 이/가 한가하다
반 바쁘다 ⇨ p.187

한턱

명 [한턱]

a treat for a meal or some form of entertainment to be on someone
请客
おごり

김 과장님이 승진하셔서 **한턱**을 내셨습니다.

관 한턱을 내다

💡 한국 사람들은 좋은 일이 있을 때 다른 사람들에게 식사나 술을 사는데, 이것을 '한턱을 내다'라고 해요. 요즘 젊은 사람들은 '한턱 쏘다'라고도 해요.

회식

명 [회:식/훼:식]

eating out together
聚餐
会食

우리 회사는 보통 한 달에 한 번 **회식**을 해요.

동 회식하다

💡 '회식'은 보통 직장에서 동료들과 함께 하는 식사를 말합니다.

회의

명 [회:의/훼:이]

a meeting
会议
会議

우리 회사에서는 아침마다 **회의**를 하고 일을 시작합니다.

동 회의하다
참 회의실, 회의 시간

휴가

명 [휴가]

a vacation
休假
休暇

이번 여름 **휴가** 때는 집에서 쉴 거예요.

관 휴가를 주다, 휴가를 받다, 휴가를 가다, 휴가를 내다
참 여름 휴가

✍ 밑줄 친 것과 바꿔 쓸 수 있는 말을 〈보기〉에서 찾아 쓰십시오.

보기	퇴근하다	출근하다	근무하다	출장가다

1. 저는 아침 9시까지 <u>회사에 갑니다.</u>　　　　　(　　　　　)

2. 저는 오후 5시까지 일하고 <u>회사에서 나옵니다.</u>　(　　　　　)

3. 저는 아침 9시부터 오후 6까지 <u>일합니다.</u>　　　(　　　　　)

4. 김 과장님은 월요일에 부산으로 <u>일하러 가셨습니다.</u> (　　　　　)

✍ 다음 _____에 쓸 수 <u>없는</u> 말은 무엇입니까?

5.

　　　　　　　　_____ 하다

① 승진　　　② 방문　　　③ 메모　　　④ 예의

6.

　　　　　　　　_____하다
　　　　　　　　_____되다

① 시작　　　② 방해　　　③ 번역　　　④ 실수

✍ 다음 _____에 들어갈 알맞은 말은 무엇입니까?

7.

　　　　　　그만 _____.

① 두다　　　② 승진하다　　　③ 시작하다　　　④ 익숙하다

8.

　　　　　　한턱을 _____.

① 남다　　　② 무리하다　　　③ 내다　　　④ 부탁하다

하루 일과 　　Daily Work・作息时间・日課

● track 26

간단하다

형 [간단하다]

to be simple
简单
簡単だ

이 일은 **간단하니까** 빨리 끝낼 수 있습니다.

– 이/가 간단하다

부 간단히
반 복잡하다 ⇨ p.360

갈아입다

동 [가라입따]

to change one's clothes
换穿
着替える

집에 오면 편한 옷으로 **갈아입으세요**.

– 을/를 – (으)로 갈아입다

꾸다

동 [꾸다]

to dream
做 (梦)
夢見る

어젯밤에 나쁜 꿈을 **꿔서** 기분이 안 좋아요.

명 꿈 ⇨ p.48
관 꿈을 꾸다

나가다

동 [나가다]

to go out
出去
出る、出ていく

약속 장소에 일찍 도착하려면 지금 **나가야** 돼요.

- 에서 나가다
- 에 나가다
- (으)로 나가다

반 들어오다 ⇨ p.199

나오다

동 [나오다]

to come out
出来
出る、出てくる

아침에 출근할 때 보통 몇 시에 집에서 **나와요**?

- 에 나오다
- (으)로 나오다
- 에서 나오다

반 들어가다 ⇨ p.199

눕다

동 [눕:따]
불 'ㅂ'불규칙
⇨ Appendix p.482

to lie down
躺
横たわる

침대에 **누워서** 자고 싶어요.

- 에 눕다

들르다

동 [들르다]
불 '르'불규칙
⇨ Appendix p.482

to stop by
順便去
立ち寄る

집에 올 때 시장에 **들러서** 운동화를 샀습니다.

- 에 들르다

들어가다

🔊 ☑ 🔈

동 [드러가다]

to enter, to go in
进去
入る、入っていく

집에 들어가서 전화할게요.

- 에 들어가다
- (으)로 들어가다

반 나오다 ⇨ p.198

들어오다

🔊 ☑ 🔈

동 [드러오다]

to enter, to come in
进来
入る、入ってくる

오늘 몇 시에 집에 들어오세요?

- 에 들어오다
- (으)로 들어오다

반 나가다 ⇨ p.198

목욕

🔊 ☑ 🔈

명 [모곡]

a bath
洗澡
入浴

집에 오면 뜨거운 물로 목욕부터 합니다.

동 목욕하다

받다

🔊 ☑ 🔈

동 [받따]

to receive
接受、收领
受け取る、もらう

어제 친구에게서 선물을 받았어요.

- 에서 - 을/를 받다
- 에게서 - 을/를 받다

반 주다 ⇨ p.312
관 월급을 받다, 선물을 받다, 전화를 받다, 스트레스를 받다, 이메일을 받다

생활

명 [생활]

life, living
生活
生活

올가 씨, 한국 **생활**이 어때요?

동 생활하다
참 생활비, 회사 생활, 한국 생활, 학교 생활

샤워

명 [샤워]

a shower
淋浴
シャワー

더운 여름에 차가운 물로 **샤워**하면 정말 시원해요.

동 샤워하다

세수

명 [세:수]

face washing, washing up
洗脸
洗顔

이를 닦은 후에 따뜻한 물로 **세수**를 했어요.

동 세수하다

쉬다

동 [쉬:다]

to rest
休息
休む

오늘은 조용한 음악을 들으면서 **쉬고** 싶어요.

참 쉬는 시간

씻다

동 [씯따]

to wash
洗
洗う

음식을 먹기 전에 꼭 손을 **씻으세요**.

– 을/를 씻다

오다

동 [오다]

to come
来
来る

오늘 학교에 몇 시에 **왔어요**?

– 에 오다
– (으)로 오다
– 이/가 오다

반 가다 ⇨ p.332
관 전화가 오다, 편지가 오다, 소식이 오다, 소포가 오다

외출

명 [외:출/웨:출]

being out, going out
外出
外出

리에 씨는 지금 집에 없습니다. **외출**했습니다.

동 외출하다
참 외출 중, 외출 준비

일어나다

동 [이러나다]

to wake up
起床、起来
起き上がる、立ち上がる

매일 아침 일찍 **일어나서** 운동을 하고 회사에 갑니다.

– 이/가 일어나다

자다

동 [자다]

to sleep
睡觉
眠る、寝る

오늘은 피곤하니까 일찍 **잘** 거예요.

명 잠 ⇨ p.202
높 주무시다 ⇨ p.202
관 잠을 자다

잠

명 [잠]

a sleep
觉
眠り

잠을 잘 때 잠옷을 입어요.

동 자다 ⇨ p.202

주무시다

동 [주무시다]

to sleep (honorific form)
睡觉 (敬语)
お休みになる

우리 할아버지는 항상 일찍 **주무십니다**.

낮 자다 ⇨ p.202

피곤

명 [피곤]

fatigue
疲倦
疲労

오랜만에 등산을 해서 너무 **피곤**합니다.

– 이/가 피곤하다
형 피곤하다
동 피곤해하다

✎ 다음은 피터 씨가 아침에 하는 일입니다. 그림을 보고 알맞은 단어를 써 보십시오.

1. 2. 3. 4.

(   ) (   ) (   ) (   )

✎ 다음 질문에 답하십시오.

5. 다음 _____ 에 들어갈 동사의 순서가 맞는 것은 무엇입니까?

> ㉠ 꿈을 _____.   ㉡ 잠을 _____.
>
> ㉢ 전화를 _____.   ㉣ 전화가 _____.

① ㉠ 자다 ㉡ 꾸다 ㉢ 받다 ㉣ 오다
② ㉠ 꾸다 ㉡ 자다 ㉢ 오다 ㉣ 받다
③ ㉠ 꾸다 ㉡ 자다 ㉢ 받다 ㉣ 오다
④ ㉠ 자다 ㉡ 꾸다 ㉢ 오다 ㉣ 받다

✎ 다음 설명에 맞는 단어를 〈보기〉에서 찾아 쓰십시오.

보기	갈아입다	배가 고프다	나가다	들르다	간단하다

6. 오늘 아침을 못 먹었어요. 그래서 지금 음식이 먹고 싶어요. (   )

7. 일이 복잡하지 않고 쉬워요.   (   )

8. 일이 있어서 중간에 어느 장소에 잠깐 가요.   (   )

Everyday Life

05

✎ **Let's look at how Korean words are related to Chinese Characters.**

p.326

a clerk
店员
店員

저 옷 가게는 점원이 참 친절해요.

점원

p.193

an employee
职员
職員

오늘 회사 직원들과 저녁을 먹으려고 합니다.

직원

員

원

인원
a member
员
員

p.55

a public employee
公务员
公務員

한국에서 공무원은 인기가 많은 직업입니다.

공무원

종업원

p.144

a service worker
服务员
從業員

저기 있는 종업원에게 주문을 하세요.

승무원

p.58

a flight attendant, crew
乘务员
客室乘務員

승무원이 되고 싶어하는 여학생들이 많습니다.

06

여가 생활

Leisure

경치

몡 [경치]

scenery, a view
景色
景色

한국에서 **경치**가 가장 아름다운 곳이 어디예요?

관 경치가 좋다, 경치가 아름답다

경험

몡 [경험]

experience
经验
経験

저는 세계를 여행하면서 많은 **경험**을 하고 싶어요.

-을/를 경험하다

동 경험하다
관 경험이 있다/없다

계획

몡 [계:획/게:훽]

a plan
计划
計画

이번 여름에 유럽으로 여행을 갈 **계획**입니다.

-을/를 계획하다
-(으)려고 계획하다
-(으)ㄹ 계획이다

동 계획하다
관 계획이 있다/없다, 계획을 세우다, 계획을 짜다

관광

명 [관광]

a tour, sightseeing
旅游、观光
観光

한국에서 유명한 곳을 **관광**하고 싶어요.

– 을/를 관광하다

동 관광하다
관 관광을 떠나다
참 국내 관광, 해외 관광, 관광지, 관광 안내, 관광객, 관광 버스

구경

명 [구:경]

looking around, seeing
观看
見物

저는 경치가 예쁜 곳을 **구경**하고 싶어요.

– 을/를 구경하다

동 구경하다
관 구경 가다
참 영화 구경, 동물원 구경, 단풍 구경

국내

명 [궁내]

domestic, (within) the country
国内
国内

저는 해외 여행보다 **국내** 여행이 더 좋아요.

참 국내 여행

국적

명 [국쩍]

nationality
国籍
国籍

피터 씨는 **국적**이 미국이에요?

국제

명 [국쩨]

international
国际
国際

한국에서는 인천 **국제**공항이 가장 큽니다.

참 국제적, 국제공항, 국제선, 국제 무역

나라

명 [나라]

a country
国家
国

안나 씨는 어느 **나라** 사람입니까?

남해

명 [남해]

the South sea
南海
南海 韓半島南部の海

한국의 바다는 **남해**와 동해, 서해가 있습니다.

참 동해 ⇨ p.209

단풍

명 [단풍]

tinged autumnal leaves
枫叶、红叶
紅葉

가을에 **단풍**을 구경하러 설악산에 갈 겁니다.

참 단풍 구경

데리다

동 [데리다]

to take someone with, to accompany
带
連れる

지난 주말에 아이들을 **데리고** 놀이공원에 갔다 왔어요.

- 을/를 데리고 가다/오다/다니다
- 을/를 데리러 가다/오다/다니다
- 을/를 데려다 주다/드리다

높 모시다

도착

명 [도:착]

arrival
到达
到着

저는 내일 오후 6시에 부산에 **도착**할 거예요.

- 에 도착하다

동 도착하다
반 출발 ⇨ p.215

동물원

명 [동:무뤈]

a zoo
动物园
動物園

동물원에 가서 동물들을 구경했어요.

참 식물원

동해

명 [동해]

the East sea
东海
東海 韓半島東部の海

올해 여름에는 **동해**와 설악산으로 휴가를 다녀왔
어요.

참 남해 ⇨ p.208

209

들다

☐☑

동 [들다]
불 'ㄹ'불규칙
⇨ Appendix p.481

to hold, to carry, to lift
提、拿
手に持つ

저는 메는 가방보다 **드는** 가방이 더 편해요.

– 을/를 들다

관 가방을 들다 ⇨ p.470
　손을 들다, 예를 들다, 보기를 들다

떠나다

☐☑◉

동 [떠나다]

to leave
去、离开
去る、出発する

가을이 되니까 먼 곳으로 여행을 **떠나고** 싶어요.

– (으)로 떠나다
– 을/를 떠나다

관 여행을 떠나다, 고향을 떠나다, 출장을 떠나다

민속촌

☐☑

명 [민속촌]

a folk village
民俗村
民族村　韓国の伝統文化を保存・展示している区域

민속촌에 가면 옛날 사람들의 생활 모습을 볼 수 있어요.

배낭

☐

명 [배:낭]

a backpack
背包
リュックサック

등산을 가려고 큰 **배낭**을 한 개 샀습니다.

관 배낭을 메다
참 등산 배낭, 배낭여행

불국사

명 [불국싸]

Bulguksa a Buddist temple in Gyeongju
佛国寺
仏国寺

경주에 가면 **불국사**에 꼭 가 보세요.

사진

명 [사진]

a picture
照片
写真

요즘에는 디지털 카메라로 **사진**을 많이 찍습니다.

관 사진을 찍다
참 사진기, 졸업 사진

산

명 [산]

a mountain
山
山

저는 바다보다 **산**을 더 좋아해요.

참 지리산, 백두산, 한라산, 설악산

설악산

명 [서락싼]

Mt. Seorak
雪岳山
雪岳山

설악산은 단풍으로 유명해요.

섬

명 [섬:]

an island
島
島

제주도는 한국에서 가장 큰 **섬**입니다.

신기하다

형 [신기하다]

to be marvelous
神奇
めずらしい、不思議だ

한국에서 여행을 하면서 **신기한** 곳을 많이 봤습니다.

– 이/가 신기하다

아름답다

형 [아름답따]
불 'ㅂ'불규칙
⇨ Appendix p.483

to be beautiful
美丽
美しい

제주도의 경치는 정말 **아름다워요.**

– 이/가 아름답다

관 아름다운 목소리, 아름다운 사람, 아름다운 경치

안내

명 [안:내]

guidance
介绍
案内

외국 친구에게 서울을 **안내**해 주려고 합니다.

– 을/를 안내하다
– 에게 – 을/를 안내하다

동 안내하다
참 여행 안내, 관광 안내, 상품 안내, 전화번호 안내, 안내 방송, 안내 책, 안내원

여권

명 [여꿘]

a passport
护照
旅券、パスポート

해외 여행을 하려면 **여권**이 꼭 있어야 합니다.

관 여권을 신청하다, 여권을 받다, 여권이 나오다

여행

🗨☑⊙

명 [여행]

a trip
旅行
旅行

시험이 끝나면 친구들과 제주도로 **여행**을 갈 거예요.

－을/를 여행하다

관 여행을 가다, 여행을 떠나다, 여행에서 돌아오다
참 기차 여행, 국내 여행, 해외 여행, 여행지
동 여행하다

여행사

🗨

명 [여행사]

a travel agency
旅行社
旅行代理店

여행사에서도 기차표나 비행기 표를 살 수 있어요.

예약

🗨

명 [예:약]

a reservation
预订
予約

그 식당에 가려면 먼저 **예약**을 해야 합니다.

－을/를 예약하다
－이/가 예약되다

동 예약하다, 예약되다
관 예약을 취소하다, 예약이 취소되다, 예약이 끝나다
참 예약석

왕복

🗨

명 [왕:복]

a round trip
往返
往復

서울에서 부산까지 **왕복**으로 몇 시간쯤 걸릴까요?

－을/를 왕복하다

반 편도
동 왕복하다
참 왕복 기차표, 왕복 비행기 표

213

외국

명 [외:국/웨:국]

a foreign country
外国
外国

이번 여름 방학에는 **외국**으로 여행을 가고 싶어요.

참 외국 사람, 외국인, 외국 유학, 외국 문화, 외국 여행, 외국어

유럽

명 [유럽]

Europe
欧洲
ヨーロッパ

대학생들은 **유럽**으로 배낭여행을 많이 갑니다.

유명하다

형 [유:명하다]

to be famous, to be well-known for
有名
有名だ

한국은 무엇으로 **유명합니까**?

- (으)로 유명하다
- 이/가 유명하다
명 유명

지도

명 [지도]

a map
地图
地図

길을 모를 때는 **지도**를 먼저 보세요.

참 국내 지도, 세계 지도

짐

명 [짐]

luggage
行李
荷物

비행기를 타기 전에 무거운 **짐**은 먼저 부쳤어요.

관 짐을 들다, 짐을 옮기다, 짐을 부치다

찍다

동 [찍따]

to take a picture
照 (相)
(写真を) 撮る

저는 여행 가서 사진 **찍는** 것을 참 좋아합니다.

– 을/를 찍다

관 사진을 찍다, 도장을 찍다

추억

명 [추억]

memory
回忆
思い出

5년 전에 여행한 설악산에서의 **추억**을 잊을 수가 없어요.

– 을/를 추억하다

동 추억하다
관 추억이 있다/없다, 추억을 만들다

출발

명 [출발]

departure
出发
出発

그 비행기는 몇 시에 **출발**해요?

– 에서 출발하다 / – (으)로 출발하다
반 도착 ⇨ p.209
참 출발 준비, 출발 시간, 출발 장소
동 출발하다

카메라

명 [카메라]

a camera
照相机
カメラ

카메라로 사진을 찍습니다.

유 사진기
참 디지털 카메라

특히

부 [트키]

especially, particularly
特別
特に

여행 가 본 곳 중에서 어디가 **특히** 좋았어요?

표

명 [표]

a ticket
票
切符、チケット

고향에 가려고 비행기 **표**를 샀습니다.

관 표를 사다, 표를 구하다, 표를 팔다, 표를 예매하다, 표가 팔리다
참 배표, 비행기 표, 영화 표, 기차표, 지하철 표

풍경

명 [풍경]

scenery, a landscape
风景
風景

풍경이 아름다운 곳으로 여행을 가고 싶어요.

관 풍경이 아름답다
유 경치
참 풍경화

한라산

명 [할:라산]

Mt. Halla
汉拿山
ハンラ山 チェジュ島の中央にある休火山

한라산은 제주도에 있는 아름다운 산이에요.

해수욕장

명 [해:수욕짱]

a beach swimming area
海水浴场
海水浴場

여름이 되면 바닷가에 있는 **해수욕장**에서 수영을 합니다.

해외

명 [해:외/해:웨]

overseas, abroad
海外
海外

해외로 여행을 가려면 돈이 많이 필요합니다.

유 국외
참 해외 유학, 해외여행

확인

명 [화긴]

confirmation
确认
確認

비행기 출발 시간을 **확인**했어요?

- 을/를 확인하다
동 확인하다

✏️ **다음 질문에 답하십시오.**

1. 다음 문장에서 밑줄 친 말과 의미가 비슷한 것을 고르십시오.

> 여름 휴가 때 부산으로 여행 가려고 호텔을 <u>예약했습니다.</u>

① 호텔에 가기로 미리 약속했습니다.
② 호텔을 미리 구경했습니다.
③ 호텔에서 미리 출발했습니다.
④ 호텔을 미리 떠났습니다.

✏️ **다음 중 어울리는 것끼리 연결하십시오.**

2. 사진을 •   • ① 하다

3. 가방을 •   • ② 들다

4. 계획을 •   • ③ 찍다

5. 구경을 •   • ④ 세우다

✏️ **다음 _____ 에 들어갈 알맞은 단어를 고르십시오.**

6.
> _____은/는 외국으로 여행을 갈 때 필요합니다. 여기에는 제 사진이 있습니다.

① 카메라   ② 여권   ③ 지도   ④ 비행기 표

7.
> _____은/는 지나간 일을 다시 생각하는 것입니다. 작년 여름에 친구들과 제주도로 여행을 갔습니다. 그곳에서 아름다운 경치를 보고 친구들과 이야기도 많이 했습니다. 그때 일은 정말 잊을 수 없는 _____ 입니다.

① 경험   ② 계획   ③ 안내   ④ 추억

경기

📢☑

명 [경기]

a match, a game
比赛
競技、ゲーム

저는 축구를 좋아해서 자주 **경기**를 보러 갑니다.

– 와/과 – 이/가 경기하다

동 경기하다
관 경기에서 이기다/지다, 경기에 참가하다
참 경기장, 운동 경기, 축구 경기, 농구 경기, 배구 경기

골프

📢

명 [골프]
⇨ Appendix p.469

golf
高尔夫球
ゴルフ

저희 아버지는 주말마다 **골프**를 치십시다.

관 골프를 치다
참 골프 선수, 골프장

공

📢☑

명 [공:]

a ball
球
ボール

축구, 농구, 배구는 모두 **공**을 가지고 하는 운동입니다.

관 공을 받다, 공을 잡다, 공을 차다

Leisure

06

농구

명 [농구]
➡ Appendix p.468

basketball
篮球
バスケットボール

남학생들은 농구를 하면서 스트레스를 풉니다.

관 농구를 하다
참 농구 선수, 농구공

달리다

동 [달리다]

to run
跑
走る

세계에서 가장 빨리 달리는 선수는 누구예요?

– 이/가 달리다
명 달리기
관 빨리 달리다
유 뛰다 ➡ p.221

대회

명 [대:회/대:훼]

a competition, a tournament
大会
大会

저는 지난달에 마라톤 대회에서 1등을 했습니다.

관 대회에 나가다, 대회를 열다
참 올림픽 대회, 전국 대회

등산

명 [등산]

hiking, mountain climbing
爬山、登山
登山、山歩き

올가 씨는 등산을 좋아해서 자주 산에 가요.

동 등산하다
관 등산을 가다
참 등산객, 등산화

뛰다

동 [뛰다]

to run
跑
走る

약속 시간에 늦어서 택시에서 내려서 **뛰었습니다.**

– 이/가 뛰다
관 뛰어 오다, 뛰어 가다
유 달리다 ⇨ p.220

마라톤

명 [마라톤]

marathon
马拉松
マラソン

마라톤은 42.195km를 달려야 해요.

참 마라톤 선수, 마라톤 대회

모든

관 [모:든]

all, every
所有
すべての

왕위 씨는 **모든** 운동을 다 잘합니다.

참 모든 사람, 모든 것, 모든 음식, 모든 운동

💡 항상 '모든 + 《명사》'로 써야 해요.

배구

명 [배구]
⇨ Appendix p.468

volleyball
排球
バレーボール

저는 키가 더 크면 **배구** 선수가 되고 싶습니다.

참 배구 선수, 배구공

Leisure

06

221

배드민턴

명 [배드민턴]

badminton
羽毛球
バドミントン

배드민턴은 두 사람이 할 수 있는 경기입니다.

관 배드민턴을 치다
참 배드민턴 선수, 배드민턴 채

볼링

명 [볼링]
⇨ Appendix p.469

bowling
保龄球
ボーリング

오늘 오후에 **볼링**을 치러 갈까요?

관 볼링을 치다
참 볼링 선수, 볼링장, 볼링공

산책

명 [산ː책]

a walk
散步
散步

가까운 공원으로 **산책**을 나갈까요?

동 산책하다
관 산책을 나가다

선수

명 [선ː수]

an athlete
选手
選手

저는 운동 **선수**들을 좋아합니다.

참 운동 선수, 야구 선수, 농구 선수, 배구 선수, 축구 선수

수영

명 [수영]
⇨ Appendix p.468

a swimming
游泳
水泳

물에서 하는 운동은 **수영**만 있어요?

동 수영하다
참 수영장, 수영복, 수영 모자, 수영 선수

수영복

명 [수영복]

a swimsuit
泳裝
水着

수영할 때는 꼭 **수영복**을 입으세요.

수영장

명 [수영장]

a swimming pool
游泳池
プール

수영장 물이 깨끗하면 좋겠습니다.

스케이트

명 [스케이트]
⇨ Appendix p.469

skate
滑冰
スケート

요즘에는 여름에도 **스케이트**를 탈 수 있습니다.

관 스케이트를 타다, 스케이트를 신다
참 스케이트장

스키

명 [스키]
⇨ Appendix p.468

ski
滑雪
スキー

겨울 운동으로는 **스키**가 가장 좋은 것 같아요.

관 스키를 타다, 스키를 신다
참 스키장, 스키복

Leisure

06

223

스포츠

명 [스포츠]

sports
体育
スポーツ

한국에서 가장 인기 있는 스포츠는 뭐예요?

참 스포츠 경기, 스포츠 뉴스, 스포츠 선수, 스포츠 용품

싫다

형 [실타]

to be unpleasant, to dislike
讨厌
いやだ

추운 겨울에는 밖에 나가기가 싫어요.

– 이/가 싫다

반 좋다 ⇨ p.226

싫어하다

동 [시러하다]

to hate
讨厌
きらいだ

저는 밖에서 운동하는 것을 싫어해요.

– 을/를 싫어하다

반 좋아하다 ⇨ p.227

아무

대 관 [아:무]

any
任何、什么
どんな 指定せずに物事を指す時に使われる

저는 아무 때나 할 수 있는 운동이 좋습니다.

참 아무도, 아무나, 아무라도, 아무 사람, 아무 때, 아무 물건

💡 항상 '아무 +《명사》'로 써야 해요.

야구

명 [야:구]
⇨ Appendix p.468

baseball
棒球
野球

미국 사람들은 **야구**를 아주 좋아합니다.

참 야구 선수, 야구장, 야구공

올림픽

명 [올림픽]

Olympics
奥运会
オリンピック

올림픽은 전 세계 사람들이 좋아하는 스포츠 대회입니다.

관 올림픽에 나가다, 올림픽에 참가하다, 올림픽이 열리다
참 올림픽 경기, 올림픽 대회

운동

명 [운:동]

exercise
运动
運動

우리 가족은 아침마다 **운동**을 합니다.

동 운동하다
참 운동장, 운동화, 운동복, 아침 운동

응원

명 [응:원]

a support
助威
応援

어느 팀을 **응원**하고 싶어요?

- 을/를 응원하다

동 응원하다
참 응원 소리, 응원가, 응원단

Leisure

06

이기다

동 [이기다]

to win
赢
勝つ

내가 응원하는 팀이 **이기면** 정말 기분이 좋습니다.

– 을/를 이기다
반 지다

입장

명 [입짱]

an entrance
入场
入場

지금 경기장으로 **입장**하여 주십시오.

– 에 입장하다
– (으)로 입장하다
동 입장하다
반 퇴장
참 입장료, 선수 입장, 입장권

조깅

명 [조깅]

jogging
慢跑
ジョギング

아침마다 건강을 위해서 **조깅**을 하고 있습니다.

괜 조깅을 하다

좋다

형 [조:타]

to be good
好
よい

많이 걷는 것이 건강에 **좋습니다**.

– 이/가 좋다
– 이/가 – 에 좋다
반 나쁘다 ⇨ p.244, 싫다 ⇨ p.224

Leisure

06

좋아하다

동 [조:아하다]

to like
喜欢
好きだ

등산을 좋아하세요?

- 을/를 좋아하다

반 싫어하다 ⇨ p.224

참가

명 [참가]

participation
参加
参加

**이번 올림픽 대회에 참가하는 선수들이
몇 명이에요?**

- 에 참가하다

동 참가하다
참 참가자

축구

명 [축꾸]
⇨ Appendix p.468

soccer
足球
サッカー

요즘 한국에서는 축구가 인기가 많습니다.

참 축구 선수, 축구화, 축구 경기, 축구공

치다

동 [치다]

to play, to hit
打
打つ テニス、ゴルフ、ビリヤードなどをする

이번 주말에 테니스를 치러 갈까요?

- 을/를 치다

관 골프를 치다, 테니스를 치다, 배드민턴을 치다, 탁구를 치다, 피아노를 치다,
박수를 치다

227

탁구

명 [탁꾸]

⇨ Appendix p.469

table tennis

乒乓球

卓球

탁구는 중국 사람들에게 인기가 있는 운동입니다.

권 탁구를 치다

참 탁구공, 탁구선수, 탁구장

테니스

명 [테니스]

⇨ Appendix p.469

tennis

网球

テニス

저는 배드민턴보다 **테니스**를 더 좋아해요.

권 테니스를 치다

참 테니스화, 테니스장

팀

명 [팀]

a team

队

チーム

좋아하는 야구**팀**이 있어요?

참 농구팀, 배구팀, 축구팀

훨씬

부 [훨씬]

by far, much

更加

はるかに

상대 팀은 생각보다 **훨씬** 강했어요.

✏️ 다음 _____에 공통으로 사용할 수 있는 말을 〈보기〉에서 골라 쓰십시오.

| 보기 | 치다 | 하다 | 달리다 | 타다 |

1.
축구를 _____.
농구를 _____.
등산을 _____.
(   )

2.
테니스를 _____.
골프를 _____.
탁구를 _____.
(   )

3.
스케이트를 _____.
스키를 _____.
(   )

✏️ 다음 질문에 대답하십시오.

4. 다음 _____에 들어갈 알맞은 단어는 무엇입니까?

앤디 씨는 야구, 배구, 수영을 잘 하고 볼링도 잘 칩니다.
앤디 씨는 _____ 운동을 다 잘합니다.

① 모두   ② 모든   ③ 아무   ④ 어느

5. 다음 중 '공'과 관계가 <u>없는</u> 운동은 무엇입니까?

① 마라톤   ② 탁구   ③ 농구   ④ 배구

Leisure

06

🏳 **가요**

명 [가요]

Korean popular song
歌曲
歌謠曲

왕위 씨는 한국 **가요**를 잘 부릅니다.

관 가요를 부르다
참 대중가요

🏳 **감상**

명 [감상]

appreciation
欣賞
鑑賞

저는 머리가 아프면 음악을 **감상**합니다.

– 을/를 감상하다

동 감상하다
관 경치를 감상하다
참 영화 감상, 음악 감상, 미술 감상

🏳 **기타**

명 [기타]

a guitar
吉他
ギター

우리 오빠는 어릴 때부터 **기타**를 배웠습니다.

관 기타를 치다

노래

명 [노래]

a song
歌儿
歌

저는 **노래**를 잘하는 사람이 부러워요.

동 노래하다
관 노래를 부르다, 노래를 듣다

발라드

명 [발라드]

a ballad
抒情曲
バラード

올가 씨는 조용한 **발라드** 음악을 좋아합니다.

부르다

동 [부르다]
불 '르'불규칙
⇨ Appendix p.482

to sing
唱
呼ぶ、歌う

피터 씨는 항상 큰 소리로 노래를 **부릅니다**.

- 을/를 부르다

관 노래를 부르다, 이름을 부르다

음악

명 [으막]

music
音乐
音楽

리에 씨는 **음악**을 들으면서 공부를 합니다.

관 음악을 듣다, 음악을 감상하다
참 영화 음악, 클래식 음악, 재즈 음악, 대중 음악

재즈

명 [재즈]

jazz
爵士 (乐)
ジャズ

저는 **재즈**를 들으면 마음이 편해집니다.

콘서트

명 [콘서트]

a concert
演唱会
コンサート

지난주에 제가 좋아하는 가수의 **콘서트**에 갔습니다.

관 콘서트를 하다, 콘서트에 가다
참 가요 콘서트, 클래식 콘서트, 콘서트장

클래식

명 [클래식]

classics
古典音乐
クラシック

저는 **클래식** 음악을 자주 듣습니다.

참 클래식 음악

팝송

명 [팝송]

pop song
流行歌曲
ポップス、ポップソング

저는 **팝송**을 들으면서 영어 공부를 합니다.

관 팝송을 듣다, 팝송을 부르다
참 팝송 가수

게임
명 [게임]

a game
游戏
ゲーム

컴퓨터 **게임**하는 거 좋아하세요?

공연
명 [공연]

a public performance
演出
公演

준이치 씨는 한 달에 한 번 연극 **공연**을 보러 갑니다.

동 공연하다
관 공연을 시작하다/끝내다, 공연이 시작되다/끝나다
참 축하 공연, 연극 공연, 공연 준비

관심
명 [관심]

interest
关心、关注
関心

안나 씨는 한국 문화에 **관심**이 많아요.

관 관심이 있다/없다, 관심이 많다, 관심을 가지다

그리다
동 [그:리다]

to draw
画
描く

피터 씨는 그림을 아주 잘 **그립니다**.

– 을/를 그리다
명 그림 ⇨ p.234
관 그림을 그리다, 지도를 그리다, 약도를 그리다

233

그림

명 [그ː림]

a picture
画儿
絵

그림을 잘 그리는 사람이 부러워요.

동 그리다 ➡ p.233

낚시

명 [낙씨]

fishing
钓鱼
釣り

제 아버지는 **낚시**를 좋아하십니다.

동 낚시하다
관 낚시를 가다, 낚시를 하다, 낚시를 즐기다

놀다

동 [놀ː다]
불 'ㄹ'불규칙
➡ Appendix p.481

to play
玩
遊ぶ

어제 친구 집에 가서 **놀았어요.**

– 하고 놀다
– 에서 놀다
– 을/를 가지고 놀다

놀이

명 [노리]

a pastime, play
游戏
遊び

한국 사람들은 추석에 무슨 **놀이**를 해요?

동 놀이하다
참 윷놀이, 불꽃놀이, 공놀이, 민속놀이

독서

명 [독써]

reading
读书
読書

사람들은 보통 가을에 **독서**를 많이 합니다.

동 독서하다

만화

명 [만ː화]

comics, a cartoon
漫画、卡通
漫画

제 동생은 밤마다 **만화**를 봅니다.

관 만화를 그리다, 만화를 읽다, 만화를 보다

비디오

명 [비디오]

video
录像
ビデオ

요즘에는 **비디오**보다 DVD로 영화를 보는 사람이 많아요.

참 뮤직 비디오, 비디오테이프

수집

명 [수집]

collection
收集
收集

요즘에는 우표를 **수집**하는 사람이 거의 없는 것 같아요.

동 수집하다
유 모으다
참 우표 수집, 동전 수집

Leisure

06

재미

명 [재미]

enjoyment
意思、乐趣
楽しみ、面白さ

저는 친구들과 놀 때 가장 **재미**있습니다.

관 재미(가) 있다/없다

즐기다

동 [즐기다]

to enjoy
喜爱、享受
楽しむ

안나 씨는 주말에 영화 보는 것을 **즐깁니다**.

-을/를 즐기다

관 술을 즐기다, 여행을 즐기다, 낚시를 즐기다, 운동을 즐기다

춤

명 [춤]

a dance
舞蹈
踊り、ダンス

우리 반에서 누가 가장 **춤**을 잘 춰요?

동 추다
관 춤을 추다

취미

명 [취:미]

a hobby
爱好
趣味

왕위: 올가 씨는 **취미**가 뭐예요?
올가: 제 **취미**는 여행이에요.

관 취미가 있다/없다
참 취미 생활, 취미 활동

🖋 **다음 질문에 답하십시오.**

1. 다음을 읽고 _____ 에 공통으로 들어갈 말을 고르십시오.

> 가 피터 씨는 음악 _____ 이/가 취미입니다.
> 　 조용하게 음악 듣는 것을 좋아합니다.
>
> 나 올가 씨는 미술품 _____ 이/가 취미입니다.
> 　 가끔 미술관에 가서 좋은 그림 보는 것을 즐깁니다.
>
> 다 리에 씨는 영화 _____ 이/가 취미입니다.
> 　 일주일에 한 번씩 극장에 가서 영화를 봅니다.

① 관심　　　② 공연　　　③ 수집　　　④ 감상

🖋 **다음 중 어울리는 것끼리 연결하십시오.**

2. 공연을 •　　　　　　　• ① 하다

3. 관심이 •　　　　　　　• ② 치다

4. 기타를 •　　　　　　　• ③ 있다

5. 그림을 •　　　　　　　• ④ 그리다

🖋 **다음 질문에 답하십시오.**

6. 다음 중에서 〈보기〉와 관계 있는 단어는 무엇입니까?

보기	클래식	재즈	발라드	팝송

① 미술　　　② 음악　　　③ 독서　　　④ 비디오

Leisure

06

✎ **Let's look at how Korean words are related to Chinese Characters.**

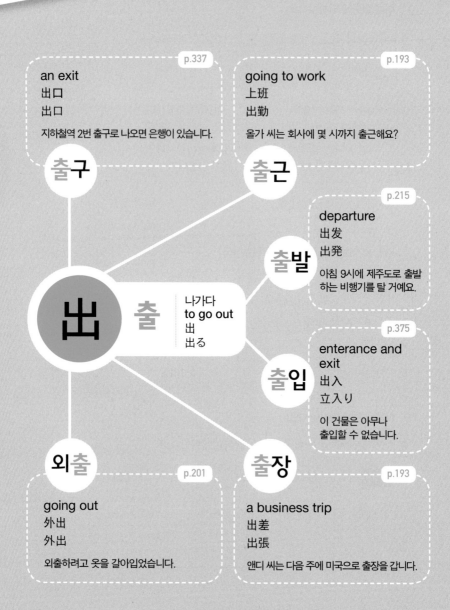

an exit
出口
出口
p.337
지하철역 2번 출구로 나오면 은행이 있습니다.

출구

going to work
上班
出勤
p.193
올가 씨는 회사에 몇 시까지 출근해요?

출근

departure
出发
出発
p.215
아침 9시에 제주도로 출발 하는 비행기를 탈 거예요.

출발

出 출
나가다
to go out
出
出る

enterance and exit
出入
立入り
p.375
이 건물은 아무나 출입할 수 없습니다.

출입

going out
外出
外出
p.201
외출하려고 옷을 갈아입었습니다.

외출

a business trip
出差
出張
p.193
앤디 씨는 다음 주에 미국으로 출장을 갑니다.

출장

07

날씨

Weather

가을
명 [가을]

fall
秋天
秋

한국의 **가을**은 9월부터 11월까지입니다.

관 가을이 되다
참 가을 학기, 가을 소풍

겨울
명 [겨울]

winter
冬天
冬

겨울이 되면 스키 타는 것을 즐깁니다.

관 겨울이 되다
참 겨울 방학, 겨울 학기

계절
명 [계:절/게:절]

a season
季节
季節

저는 **계절**이 바뀔 때마다 자주 감기에 걸립니다.

관 계절이 바뀌다
참 사계절 ⇨ p.241

무슨
관 [무슨]

what
什么
何の、何～

무슨 계절을 좋아하세요?

💡 항상 '무슨 +《명사》'로 써야 해요.

봄

명 [봄]

spring
春天
春

봄에는 꽃이 많이 핍니다.

관 봄이 되다
참 봄 방학, 봄 학기, 봄 소풍

사계절

명 [사:계절/사:게절]

four seasons
四季
四季

한국에는 **사계절**이 있습니다.

여름

명 [여름]

summer
夏天
夏

여름이 되면 바닷가에서 휴가를 보내고 싶어요.

관 여름이 되다
참 여름 휴가, 여름 방학, 여름 학기

연휴

명 [연휴]

consecutive holidays, holidays in a row
连休、长假
連休

젊은 사람들은 설이나 추석 **연휴**에 여행을 많이 갑니다.

참 설 연휴, 추석 연휴

Weather

07

241

철

명 [철]

the time of the year, a season
季、节令
季節

7월초부터 장마**철**이 시작되겠습니다.

관 철이 바뀌다, 철이 지나다
참 봄철, 여름철, 가을철, 겨울철, 장마철, 김장철

크리스마스

명 [크리스마스]

Christmas
圣诞节
クリスマス

크리스마스는 아이들이 좋아하는 날입니다.

유 성탄절

● track **32**

개다

동 [개:다]

to clear up
转晴
晴れる

오늘은 날이 **개고** 하늘도 맑겠습니다.

- 이/가 개다

관 날이 개다, 날씨가 개다

구름

명 [구름]

a cloud
云
雲

구름이 많아서 하늘이 흐립니다.

관 구름이 끼다, 구름이 많다

그치다

동 [그치다]

to stop
停
止む

비가 **그치니까** 공기가 깨끗해졌습니다.

- 이/가 그치다

관 비가 그치다, 눈이 그치다, 소리가 그치다, 노래가 그치다

Weather

07

기후

명 [기후]

climate
气候
気候

기후가 따뜻한 나라로 여행을 갑시다.

관 기후가 나쁘다, 기후가 변하다

나쁘다

형 [나쁘다]
불 '으'불규칙
⇨ Appendix p.484

to be bad
不好、坏
悪い

날씨가 **나쁘니까** 등산은 나중에 갑시다.

술과 담배는 건강에 **나쁩니다**.

– 이/가 나쁘다
– 이/가 – 에 나쁘다

반 좋다 ⇨ p.226
관 날씨가 나쁘다, 기분이 나쁘다

날씨

명 [날씨]

(the) weather
天气
天気

날씨가 좋으면 기분도 좋습니다.

관 날씨가 따뜻하다, 날씨가 덥다, 날씨가 시원하다, 날씨가 춥다, 날씨가 좋다,
날씨가 나쁘다, 날씨가 맑다

눈

명 [눈:]

snow
雪
雪

빨리 **눈**이 오면 좋겠어요.

관 눈이 오다, 눈이 내리다, 눈이 그치다
참 첫눈, 눈사람, 눈싸움, 눈썰매

덥다

형 [덥:따]
불 'ㅂ'불규칙
⇨ Appendix p.483

to be hot used for weather
热
暑い

한국에서는 7월 말과 8월 초에 가장 **덥습니다**.

반 춥다 ⇨ p.250
관 날씨가 덥다

따뜻하다

형 [따뜨타다]

to be warm
暖和
暖かい

따뜻한 봄이 되면 여행을 가고 싶어요.

– 이/가 따뜻하다
관 날씨가 따뜻하다, 방이 따뜻하다

떨다

동 [떨:다]
불 'ㄹ'불규칙
⇨ Appendix p.481

to shiver
发抖
ふるえる

올가 씨가 추워서 몸을 **떨고** 있습니다.

– 을/를 떨다
관 몸을 떨다, 손을 떨다, 다리를 떨다

맑다

형 [막따]

to be clear
晴
晴れている

오늘은 날씨가 **맑아서** 파란 하늘을 볼 수 있습니다.

– 이/가 맑다
반 흐리다 ⇨ p.250
관 날씨가 맑다, 공기가 맑다, 물이 맑다, 하늘이 맑다, 소리가 맑다

미끄럽다

형 [미끄럽따]
불 'ㅂ'불규칙
⇨ Appendix p.483

to be slippery

滑
滑りやすい

눈이 와서 길이 **미끄러우니까** 조심하세요.

- 이/가 미끄럽다

관 길이 미끄럽다

바람

명 [바람]

the wind

风
風

오늘 오후에 **바람**이 많이 불겠습니다.

관 바람이 불다, 바람이 세다, 바람이 약하다

번개

명 [번개]

lightning

闪电
いなずま

번개가 치고 비가 많이 오는 날은 위험하니까
운전하지 마세요.

관 번개가 치다, 천둥번개가 치다

💡 '번개'는 '빛'을 말하고, '천둥'은 '소리'를 말해요.

불다

동 [불:다]
불 'ㄹ'불규칙
⇨ Appendix p.481

to blow

刮
吹く

바람이 많이 **불어서** 앞을 볼 수가 없어요.

- 이/가 불다
- 을/를 불다

관 바람이 불다, 풍선을 불다

비

명 [비]

rain

雨

雨

오늘은 **비가** 오니까 우산을 가지고 가세요.

관 비가 오다, 비가 내리다, 비가 그치다, 비를 맞다

서늘하다

형 [서늘하다]

to be cool and refreshing **a little bit cold**

涼丝丝

涼しい ひんやりしている

저는 **서늘한** 가을 날씨가 좋아요.

관 날씨가 서늘하다, 바람이 서늘하다, 날이 서늘하다, 공기가 서늘하다

선선하다

형 [선선하다]

to be cool and refreshing

涼快

(風が) さわやかだ

아침에는 **선선했는데** 지금은 좀 덥네요.

관 날씨가 선선하다, 날이 선선하다

시원하다

형 [시원하다]

to be cool

涼快、爽快

涼しい さっぱりしている

기온은 조금 높지만 바람이 불어서 **시원합니다.**

– 이/가 시원하다

관 날씨가 시원하다, 공기가 시원하다, 국물이 시원하다

Weather

07

쌀쌀하다

형 [쌀쌀하다]

to be chilly
冷飕飕
肌寒い

날씨가 **쌀쌀한데** 옷을 얇게 입어서 추워요.

관 날씨가 쌀쌀하다

쌓이다

동 [싸이다]

to be piled up
堆积
積もる

어젯밤에 내린 눈이 많이 **쌓였습니다.**

– 이/가 쌓이다

관 눈이 쌓이다. 스트레스가 쌓이다

안개

명 [안:개]

(a) fog, (a) mist
雾
霧

안개가 많이 끼어서 비행기가 출발할 수 없습니다.

관 안개가 끼다

일기예보

명 [일기예보]

a weather forecast
天气预报
天気予報

저는 아침마다 라디오에서 **일기예보**를 듣습니다.

장마
📢
명 [장마]

the rainy season
雨季
梅雨

한국은 6월에서 7월이 **장마**철입니다.

관 장마가 시작되다/끝나다
참 장마철

젖다
📢
동 [젇따]

to get wet, to be soaked
淋湿
濡れる

우산이 없어서 비에 옷이 다 **젖었습니다**.

– 에 – 이/가 젖다
관 비에 젖다, 땀에 젖다

차다
📢
형 [차다]

to be cold
凉
冷たい

바람이 **차면** 감기에 걸리기 쉽습니다.

– 이/가 차다
관 바람이 차다, 공기가 차다, 날씨가 차다, 온도가 차다, 음식이 차다

천둥
📢
명 [천둥]

thunder
雷
かみなり

천둥과 번개가 칠 때는 정말 무섭습니다.

관 천둥이 치다

Weather

07

249

춥다

형 [춥따]
불 'ㅂ'불규칙
▷ Appendix p.483

to be cold used for weather
冷
寒い

날씨가 **추우니까** 따뜻한 커피가 생각납니다.

반 덥다 ⇨ p.245
관 날씨가 춥다, 날이 춥다

태풍

명 [태풍]

a typhoon
台风
台風

태풍 때문에 배가 움직이지 못합니다.

관 태풍이 오다, 태풍이 지나가다

흐리다

형 [흐리다]

to be cloudy
阴
曇っている

오전에는 맑겠으나 오후부터 차차
흐려지겠습니다.

– 이/가 흐리다

반 맑다 ⇨ p.245
관 날씨가 흐리다, 날이 흐리다, 물이 흐리다

250

✎ **다음 질문에 답하십시오.**

1. 다음 〈보기〉의 단어는 어느 계절과 관계가 있습니까?

보기	크리스마스	눈	춥다

① 봄　　　　② 여름　　　　③ 가을　　　　④ 겨울

✎ **다음 _____에 공통으로 들어갈 말은 무엇입니까?**

2.
> 공기가 _____.　　날씨가 _____.　　하늘이 _____.

① 개다　　　② 나쁘다　　　③ 맑다　　　④ 쌓이다

3.
> 구름이 _____.　　안개가 _____.

① 오다　　　② 나쁘다　　　③ 맑다　　　④ 끼다

✎ **다음을 읽고 질문에 답하십시오.**

> 오후에 비가 왔는데 우산이 없어서 옷이 다 ㉠_____.
> 바람이 많이 ㉡_____, 천둥도 ㉢_____조금 무서웠습니다.
> ㉮비가 많이 오는 기간도 아닌데 정말 비가 많이 왔습니다.

4. ㉠에 들어갈 말은 무엇입니까?

① 떨었습니다　　② 젖었습니다　　③ 그쳤습니다　　④ 찼습니다

5. 다음 _____에 들어갈 말은 무엇입니까?

① ㉡ 불고 ㉢ 쳐서　　　　　② ㉡ 치고 ㉢ 불어서
③ ㉡ 불고 ㉢ 불어서　　　　④ ㉡ 치고 ㉢ 쳐서

6. ㉮와 바꿔 쓸 수 있는 말은 무엇입니까?

① 봄철　　　② 가을철　　　③ 장마철　　　④ 휴가철

✎ **Let's look at how Korean words are related to Chinese Characters.**

신랑

p.50

a groom
新郎
新郎、花婿

신랑이 참 멋있네요.

신문

p.433

a newspaper
报纸
新聞

저는 아침마다 신문을 봅니다.

신부

p.50

a bride
新娘
新婦、花嫁

웨딩드레스를 입은 신부의 모습이 정말 아름다웠어요.

新 신

새롭다
to be new
新
新しい

신혼

p.51

a new marriage
新婚
新婚

신혼 여행은 어디로 가세요?

신기하다

p.212

to be marvelous
神奇
ものめずらしい

아이의 눈에는 모든 것이 신기하게 보입니다.

신제품

p.407

a new product
新产品
新製品

이 휴대폰은 이번 달에 새로 나온 신제품이에요.

08

시간

Time

track **33**

개월

명 [개월]

month(s)
个月
ヶ月

한국에 온 지 1년 **6개월**이 되었습니다.

유 (한, 두, 세, 네……)달 ⇨ p.256
참 일 개월, 이 개월, 삼 개월 등.

그저께

명 [그저께]

the day before yesterday
前天
おととい

그저께부터 목이 아프기 시작했습니다.

준 그제

금년

명 [금년]

this year
今年
今年

금년 여름은 작년 여름보다 더 더웠습니다.

유 올해 ⇨ p.258

날

명 [날]

a day
天
日

저는 보통 쉬는 **날**에 친구를 만납니다.

참 어느 날, 첫째 날, 마지막 날, 쉬는 날, 날마다

날짜
명 [날짜]

a date
日期
日にち、日付

여행 갈 **날짜**를 정합시다.

관 날짜를 계산하다, 날짜를 세다, 날짜를 정하다
참 약속 날짜, 결혼 날짜, 시험 날짜

내년
명 [내년]

next year
明年
来年

제 조카는 **내년** 3월에 초등학교에 갑니다.

유 다음 해
참 작년 ⇨ p.260
올해 ⇨ p.258

내일
명 부 [내일]

tomorrow
明天
明日

내일 날씨는 어떨까요?

내일 다시 봅시다.

참 어제 ⇨ p.257
오늘 ⇨ p.258
모레 ⇨ p.257

년
명 [년]

a year
年
年

일 **년**에 몇 번 고향에 가요?

참 작년, 금년, 내년, 2010년

Time
08

달

명 [달]

a month
月
月

다음 **달**까지 이 일을 끝내야 합니다.

유 개월 ⇨ p.254　관 달이 밝다　참 이번 달, 지난달, 다음 달, 보름달, 반달

달력

명 [달력]

a calendar
日历
カレンダー

달력을 보니까 벌써 10월이네요.

말

명 [말]

the end
末
末

이번 연**말**에 고향에 돌아갈 거예요.

참 주말, 월말, 연말, 학기 말, 이달 말, 지난달 말

매

관 [매:]

every
每
每

우리 학교는 **매** 학기 소풍을 가요.

참 매일, 매주, 매달, 매년

💡 '매'는 보통 '시간 표현 명사'하고만 같이 사용해요.

매일

명 부 [매:일]

every day
每天
毎日

피터 씨는 **매일** 일기를 씁니다.

며칠

명 [며칠]

a day of the month, a few days
几号、几天
何日、数日

안나 : 오늘이 **며칠**이에요?
왕위 : 10월 3일이에요.

올가 씨에게서 **며칠** 동안 연락이 없어요.

참 며칠 동안, 며칠 전에, 며칠 후에

💡 '몇 일'은 틀려요.

모레

명 부 [모:레]

the day after tomorrow
后天
あさって

오늘이 월요일이니까 **모레**는 수요일이네요.

모레 만납시다.

유 내일모레   참 어제 ⇨ p.258, 오늘 ⇨ p.258, 내일 ⇨ p.255

새해

명 [새해]

the new year
新年
新年

새해에는 매일 운동하기로 했어요.

유 신년   참 새해 첫날, 새해 인사, 새해 계획

어제

명 부 [어제]

yesterday
昨天
昨日

어제가 제 생일이었어요.

어제 친구를 만났어요.

유 어저께   참 오늘 ⇨ p.258, 내일 ⇨ p.255, 모레 ⇨ p.257

언제

부 대 [언:제]

when
何时
いつ、いつか

한국에 **언제** 오셨어요?

오늘

명 부 [오늘]

today
今天
今日

오늘이 며칠이에요?

오늘 해야 할 일이 많아요.

참 어제 ⇨ p.257
내일 ⇨ p.255
모레 ⇨ p.257

올해

명 [올해]

this year
今年
今年

올해 여름이 작년 여름보다 더 더운 것 같아요.

유 금년 ⇨ p.254
참 작년 ⇨ p.260
내년 ⇨ p.255

요일

명 [요일]

a day of the week
星期（几）
曜日

올가 : 오늘이 무슨 **요일**이에요?
피터 : 월**요일**이에요.

참 월요일, 화요일, 수요일, 목요일, 금요일, 토요일, 일요일

월
명 [월]

a month
月
月

리에 씨는 내년 1**월**에 일본으로 돌아갑니다.

참 매월, 월급, 월초, 월말

월말
명 [월말]

the end of the month
月底
月末

우리 회사는 **월말**에 가장 바쁩니다.

반 월초

음력
명 [음녁]

the lunar calendar
阴历
陰曆

제 생일은 양력으로는 8월이고, **음력**으로는 7월입니다.

반 양력
참 음력 생일

이틀
명 [이틀]

two days
两天
二日

저는 **이틀**에 한 번씩 머리를 감습니다.

참 하루(1일) ⇨ p.261, 사흘(3일), 나흘(4일), 닷새(5일), 열흘(10일), 보름(15일)

Time 08

일주일

명 [일쭈일]

a week
一周
一週間

리에 씨는 **일주일** 동안 휴가를 갈 거예요.

작년

명 [장년]

last year
去年
去年

준이치 씨는 **작년**부터 한국어를 공부하기 시작했습니다.

유 지난해　　　　참 올해 ⇨ p.258, 내년 ⇨ p.255

주말

명 [주말]

a weekend
周末
週末

저는 **주말**마다 할아버지 댁에 갑니다.

반 주초　　　　참 주말 드라마, 주말 여행

주일

명 [주일]

a week
周、星期
週間

우리는 일주일에 다섯 번 학교에 갑니다.

참 일주일, 이주일

지난주

명 [지난주]

last week
上周
先週

지난주에는 매우 바빴습니다.

참 이번 주, 다음 주

첫날

명 [천날]

the first day
第一天
初日

한국에서는 새해 **첫날**에 떡국을 먹습니다.

참 새해 첫날, 출근 첫날, 첫날 경기

평일

명 [평일]

a weekday
平日
平日

이 가게는 **평일**보다 주말에 손님이 더 많아요.

💡 '월요일~금요일'이 평일이에요. '토요일, 일요일'은 주말이에요.

하루

명 [하루]

a day
一天
一日

하루에 세 번 이를 닦아요.

참 하루 종일, 이틀(2일) ⇨ p.259
사흘(3일), 나흘(4일), 닷새(5일), 열흘(10일), 보름(15일)

휴일

명 [휴일]

a holiday
假日
休日

휴일에는 늦잠을 자고 싶습니다.

참 공휴일, 연휴 ⇨ p.241
💡 휴일이 이틀 이상이면 '연휴'예요.

✎ 다음 (   )에 알맞은 단어를 쓰십시오.

1. (   ) – 어제 – 오늘 – (   )

2. (   ) – 올해 – (   )

3. 월요일 – (   ) – (   ) – 목요일 – (   ) – 토요일 – (   )

✎ 다음 질문에 답하십시오.

4. 다음 중에서 관계가 <u>다른</u> 것은 무엇입니까?

① 날마다 – 매일　　　　　② 올해 – 금년
③ 어제 – 어저께　　　　　④ 내일 – 모레

5. 다음 중에서 <u>틀린</u> 것은 무엇입니까?

① 매일　　　　　　　　　② 매주
③ 매개월　　　　　　　　④ 매해

6. ㉠과 ㉡에 들어갈 알맞은 말로 연결된 것은 무엇입니까?

> 가　오늘이 ____㉠____ 이에요?
>
> 나　8월 10일이에요.
>
> 가　그렇군요. 그럼 무슨 ____㉡____ 이에요?
>
> 나　금요일이에요.

① ㉠ 몇일 ㉡ 요일　　　　② ㉠ 며칠 ㉡ 요일
③ ㉠ 요일 ㉡ 몇일　　　　④ ㉠ 몇날 ㉡ 요일

7. ㉠과 ㉡에 들어갈 알맞은 말로 연결된 것은 무엇입니까?

> 1월 1일은 ____㉠____ 의 ____㉡____ 입니다.

① ㉠ 새해 ㉡ 첫날　　　　② ㉠ 첫날 ㉡ 새해
③ ㉠ 새해 ㉡ 하루　　　　④ ㉠ 금년 ㉡ 첫날

가끔

부 [가끔]

sometimes
偶尔
たまに

왕위 씨는 **가끔** 운동을 합니다.

참 항상, 자주, 가끔, 거의, 전혀

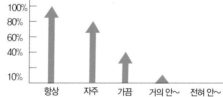

계속

부 [계ː속/계ː속]

continuously
继续
続けて

저는 한국에서 **계속** 살고 싶어요.

- 을/를 계속하다
- 이/가 계속되다

동 계속하다, 계속되다

곧

부 [곧]

soon
马上
すぐに、まもなく

조금만 더 기다리면 선생님께서 **곧** 오실 거예요.

유 바로 ⇨ p.267
참 곧바로

263

과거

명 [과:거]

the past
过去
過去

과거의 실수는 생각하지 마세요.

동 현재 ⇨ p.276, 미래 ⇨ p.267

그동안

명 [그동안]

during that time
其间
その間　これまでの間

그동안 안녕하셨어요?

금방

부 [금방]

soon, just a minute ago
就、刚、马上
今すぐ、たった今

하늘이 어두워요. **금방** 비가 올 것 같아요.

앤디 씨가 **금방** 왔어요.

💡 '금방'은 과거와 미래에 모두 사용할 수 있어요.

기간

명 [기간]

a period of time, a term
期间
期間

시험 **기간**에는 더 열심히 공부해야 합니다.

참 휴가 기간, 시험 기간, 접수 기간, 연휴 기간

나중

명 [나:중]

later
以后
あと

지금은 바쁘니까 **나중**에 만납시다.

반 먼저 ⇨ p.266　참 나중에

낮

명 [낟]

the daytime
白天
昼

요즘 아침, 저녁에는 조금 쌀쌀하고 **낮**에는 더워요.

반 밤 ⇨ p.268
참 낮잠, 낮 시간

동안

명 [동안]

during, for
期间
(時間の) あいだ

저는 방학 **동안**에 한국어를 열심히 공부할 거예요.

참 방학 동안, 잠깐 동안, 그동안, 얼마 동안, 기간 동안, 며칠 동안

드디어

부 [드디어]

at last, finally
终于
ついに、いよいよ

드디어 유럽으로 여행을 가게 되었어요.

때

명 [때]

time
时候
時

아무 **때**나 전화하고 오세요.

참 아무 때, 방학 때, 식사 때, 학생 때

때때로

부 [때때로]

now and then, sometimes
偶尔
時々

때때로 고향에 계시는 부모님이 보고 싶습니다.

마지막

명 [마지막]

the last
最后
最後

12월 31일은 일년의 **마지막** 날이에요.

참 마지막 시간, 마지막 기차, 마지막 순서, 마지막 장면

마침

부 [마침]

fortunately, opportunely
恰好
ちょうどそのとき

배가 고팠는데 친구가 **마침** 빵을 사 가지고 왔습니다.

💡 긍정적인 의미로 '바로 그때'를 말해요.

마침내

부 [마침내]

at last
终于
ついに

마침내 일이 모두 끝났습니다.

먼저

부 [먼저]

the first
先
先に、まず

도착하면 제일 **먼저** 전화해 주세요.

반 나중 ⇨ p.264

미래

명 [미ː래]

future
未来
未来

저는 **미래**에 통역사가 되고 싶습니다.

참 과거 ⇨ p.264
　 현재 ⇨ p.276

미리

부 [미리]

beforehand, in advance
事先
あらかじめ

내일 숙제를 오늘 **미리** 했습니다.

참 미리미리

바로

부 [바로]

directly, right now
就
すぐに

학교 수업이 끝나면 **바로** 집으로 오세요.

유 곧 ⇨ p.263
참 곧바로

밝다

형 [박따]

to be bright
明亮
明るい

밤 8시인데 아직도 밖이 **밝네요**.

– 이/가 밝다
반 어둡다 ⇨ p.270

밤

명 [밤]

night
夜晚
夜

밤에 늦게까지 일을 해서 좀 피곤합니다.

반 낮 ⇨ p.265
관 밤을 새우다
참 밤 시간, 밤 거리

방금

명 부 [방금]

just, now just before
刚
たった今

왕위 씨는 **방금** 떠났어요.

💡 '방금'은 과거만 사용할 수 있어요.

벌써

부 [벌써]

already
已经、早就
もう、早くも

밥을 **벌써** 다 먹었어요? 저는 이제 먹으려고 하는데요.

반 아직 ⇨ p.270

분

명 [분]

a minute
分
分

오늘 오후 3시 30**분**에 만납시다.

참 시 ⇨ p.269, 초

빨리

부 [빨리]

quickly
赶快
はやく

일을 **빨리** 끝내고 영화 보러 갑시다.

동 빨리하다
형 빠르다
반 천천히 ⇨ p.366
참 빨리빨리

시

명 [시]

time, o'clock
点
時

지금 몇 **시**예요?

참 초, 분 ⇨ p.268

식후

명 [시쿠]

after a meal
饭后
食後

이 약은 **식후** 30분마다 드시기 바랍니다.

반 식전

아까

명 부 [아까]

a short time ago
刚才
さっき

아까 올가 씨에게 전화가 왔습니다.

아직

무 [아직]

still, (not) yet
还
まだ

요시코 씨는 **아직** 자고 있어요?

참 아직도
반 벌써 ⇨ p.268

아침

명 [아침]

morning, breakfast
早上、早饭
朝、朝ご飯

내일 **아침**에 일찍 일어나야 돼요.

오늘 **아침** 먹었어요?

반 저녁 ⇨ p.274
참 아침 시간, 아침 식사, 아침밥

어둡다

형 [어둡따]
불 'ㅂ'불규칙
⇨ Appendix p.483

to be dark
黑
暗い

낮 시간인데 하늘에 구름이 많아서 날이 **어두워요**.

반 밝다 ⇨ p.267

어젯밤

명 [어제빰/
어젣빰]

last night
昨晚
昨夜

어젯밤에 누구를 만났어요?

270

언제나
부 [언:제나]

always
始终
いつも

앤디 씨는 **언제나** 학교에 일찍 옵니다.

유 항상 ⇨ p.276

얼른
부 [얼른]

quickly, right away
赶快
すぐに、早く

곧 출발해야 하니까 **얼른** 오세요.

옛날
명 [옏:날]

long ago
古、从前
昔

서울의 **옛날** 모습은 지금하고 많이 달라요.

오래
부 [오래]

a long time
好久
長い間

오래간만입니다. 잘 지내셨어요?

참 오랫동안, 오랜만에, 오래오래

오전
명 [오:전]

morning, A.M.
上午
午前

피터 씨는 토요일 **오전**에 수영을 배웁니다.

반 오후 ⇨ p.272
참 오전 수업, 오전 근무, 오전 시간

오후

명 [오:후]

afternoon, P.M.
下午
午後

오전에는 바쁘니까 **오후** 4시쯤 만날까요?

반 오전 ⇨ p.271
참 오후 수업, 오후 근무, 오후 시간

요즘

명 부 [요즘]

these days
最近
最近

요즘 어떻게 지내십니까?

참 요즈음

이따가

부 [이따가]

a little later, in a short time
待会儿、回头
あとで

이따가 오후에 만나서 얘기합시다.

유 이따
💡 '이따가'는 오늘 중에, '나중에'는 오늘이 지나고 며칠 후도 괜찮아요.

이번

명 [이번]

this time
这次
今度(の)

이번 주 토요일에 고향에 갈 거예요.

유 요번
참 이번 주, 이번에, 이번 학기

이제

명 부 [이제]

now
现在
今、もう

이제부터 열심히 공부할 거예요.

요시코 씨, **이제** 그만 하고 집에 갑시다.

참 이제부터, 이제까지

일찍

부 [일찍]

early
及早
早く

내일은 **일찍** 일어나서 학교에 올 거예요.

자주

부 [자주]

often
常
しょっちゅう

피터 씨는 감기에 **자주** 걸리는 것 같아요.

잠깐

명 부 [잠깐]

just a minute
一会儿
しばらくの間

잠깐만요, 곧 전화를 바꿔 드리겠습니다.

아까 **잠깐** 비가 왔어요.

유 잠시 ⇨ p.274
관 잠깐만요

잠시

명 부 [잠:시]

for a while
暫时
しばらくの間

잠시 쉬고 다시 합시다.

잠시 실례하겠습니다.

유 잠깐 ⇨ p.273
관 잠시만요

저녁

명 [저녁]

evening
晩上
夕方、夕食

퇴근하고 **저녁**에는 무엇을 하세요?

반 아침 ⇨ p.270
참 저녁 시사, 저녁밥, 저녁 시간

저번

명 [저:번]

the last time
上次
このあいだ、先日

저번에 만난 사람을 오늘 다시 만났습니다.

유 지난번

전

명 [전]

before
前、以前
前

지금 세 시 10분 **전**입니다.

저는 다섯 달 **전**에 한국에 왔습니다.

-기 전에
반 후 ⇨ p.276

점심

명 [점:심]

lunch
中午
昼ご飯、昼時

오늘 **점심**에는 비빔밥을 먹었습니다.

참 점심 시간, 점심밥, 점심 식사

점점

부 [점:점]

gradually
逐漸
徐々に、だんだん

날씨가 **점점** 추워지고 있습니다.

참 차츰, 점차

지금

명 부 [지금]

now
现在
今

지금부터 한 시간 동안 쉬겠습니다.

리에 씨는 **지금** 공부를 하고 있습니다.

지나다

동 [지나다]

to pass by
过去、经过
過ぎる

한국어를 공부한 지 6개월이 **지났습니다**.

약국 앞을 **지나면** 바로 우리 집입니다.

– 이/가 지나다
– 을/를 지나다

참 지난주, 지난달, 지난번, 지난 시간

처음
명 [처음]

the first time, the beginning
第一次
初めて

처음 뵙겠습니다. 잘 부탁합니다.

한참
명 [한참]

for a long time
好半天
しばらく、長い時間

친구를 **한참** 동안 기다렸습니다.

항상
부 [항상]

always
总是
いつも、つねに

올가 씨는 **항상** 바쁩니다.

유 언제나 ⇨ p.271

현재
명 부 [현:재]

the present
现在
現在

현재 한국어를 공부하고 있습니다.

참 과거 ⇨ p.264
미래 ⇨ p.267

후
명 [후:]

after
以后
後

며칠 **후**에 시험을 보겠어요.

대학교를 졸업한 **후**에 바로 취직했어요.

- (으)ㄴ 후에   반 전 ⇨ p.274

✎ **다음 질문에 답하십시오.**

1. 다음 (   )에 들어갈 알맞은 단어로 연결된 것은 무엇입니까?

> 가끔 – (㉠) – 항상   (㉡) – 현재 – 미래

① ㉠ 자주 ㉡ 과거   ② ㉠ 먼저 ㉡ 과거
③ ㉠ 과거 ㉡ 자주   ④ ㉠ 과거 ㉡ 먼저

2. 다음 _____에 공통으로 들어갈 말은 무엇입니까?

> 가 피터 씨, 언제 왔어요?
> 나 _____ 왔어요.
> 가 앤디 씨는 언제 올 거예요?
> 나 _____ 올 거예요.

① 방금   ② 금방   ③ 가끔   ④ 먼저

3. 다음 중에서 관계가 <u>다른</u> 것은 무엇입니까?

① 전 - 후   ② 낮 - 밤   ③ 처음 - 마지막   ④ 동안 - 드디어

4. 다음 _____에 공통으로 들어갈 말은 무엇입니까?

> 가 올가 씨, 몇 시에 _____을 먹었어요?
> 나 오늘은 _____ 8시에 먹었어요.

① 낮   ② 점심   ③ 아침   ④ 밤

✎ **다음 밑줄 친 부분과 같은 의미의 단어는 무엇입니까?**

5. <u>밥을 먹고 나서</u> 공원에 갑시다.

① 식전에   ② 식후에   ③ 곧   ④ 바로

6. 지금은 바쁘니까 <u>조금 지난 뒤에</u> 다시 전화할게요.

① 얼른   ② 잠깐   ③ 잠시   ④ 이따가

Time

08

✎ **Let's look at how Korean words
are related to Chinese Characters.**

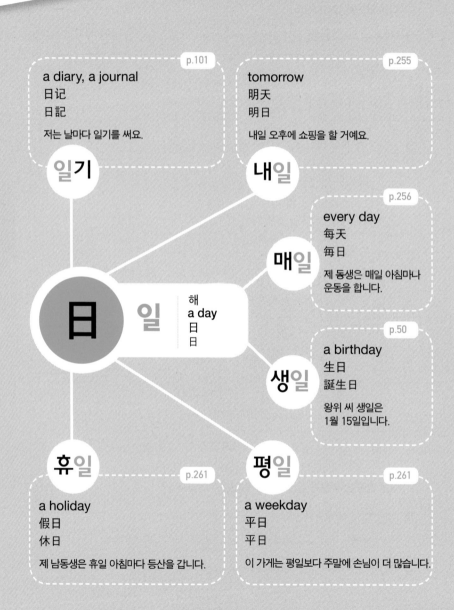

p.101

a diary, a journal
日记
日記

저는 날마다 일기를 써요.

일기

p.255

tomorrow
明天
明日

내일 오후에 쇼핑을 할 거예요.

내일

p.256

every day
每天
每日

제 동생은 매일 아침마다
운동을 합니다.

매일

日 **일** 해
a day
日
日

p.50

a birthday
生日
誕生日

왕위 씨 생일은
1월 15일입니다.

생일

휴일

p.261

a holiday
假日
休日

제 남동생은 휴일 아침마다 등산을 갑니다.

평일

p.261

a weekday
平日
平日

이 가게는 평일보다 주말에 손님이 더 많습니다.

09 패션

Fashion

마사지
명 [마사지]

(a) massage
按摩
マッサージ

어제 늦게까지 일해서 많이 피곤했어요. 그래서 **마사지**를 받았어요.

동 마사지하다
관 마사지를 받다
참 전신 마사지, 발 마사지, 얼굴 마사지

미용
명 [미:용]

beauty care
美容
美容

예쁘게 보이고 싶어하는 사람들은 **미용**에 관심이 많아요.

참 미용사, 미용실

바르다
동 [바르다]
물 '르'불규칙
⇨ Appendix p.482

to apply
抹
塗る

세수한 다음에 얼굴에 화장품을 **발라요**.

– 에《물, 풀, 약, 화장품, 잼 등》을/를 바르다

샴푸
명 [샴푸]

a shampoo
香波
シャンプー

저는 **샴푸** 대신에 비누로 머리를 감아요.

어울리다

동 [어울리다]

to be well-matched, to go well with
般配、协调
似合う

진우 씨와 수민 씨가 잘 **어울려요**.

파란색 티셔츠가 청바지와 잘 **어울려요**.

이 옷 색깔은 앤디 씨에게 안 **어울려요**.

– 이/가 – 와/과 어울리다
– 이/가 – 에게 어울리다

염색하다

동 [염:새카다]

to dye
染色
染める

미용실에 가서 머리를 노란색으로 **염색했어요**.

– 을/를 염색하다

참 머리를 염색하다

Fashion

09

유행

명 [유행]

fashion
流行
流行

올해는 짧은 치마가 **유행**이에요.

– 이/가 유행하다
– 이/가 유행되다
– 이/가 유행이다

동 유행하다, 유행되다
관 유행이 지나다

이발

📖

명 [이:발]

a haircut (for men)
理发
理髪

이발한 지가 오래돼서 머리가 많이 길었어요.

동 이발하다
참 이발사, 이발소

💡 '이발소'에는 보통 남자들이 가고, 여자들은 '미용실(미장원)'에 가요. 하지만 요즘에는 남자들도 '미용실'에 많이 가요.

이상하다

📖✍

형 [이:상하다]

to be strange, to be weird
异常
変だ、おかしい

양복을 입고 운동화를 신으니까 정말 **이상해요**.

자르다

📖

동 [자르다]
불 '르'불규칙
➡ Appendix p.482

to cut
剪
切る、カットする

머리가 너무 길어서 미용실에 가서 **잘랐어요**.

– 을/를 자르다

💡 한국 사람들은 보통 '짜르다'라고 말해요.

파마

📖

명 [파마]

a perm
烫发
パーマ

미용실에 가서 스트레이트 **파마**를 했어요.

동 파마하다

향수

명 [향수]

a perfume
香水
香水

중요한 모임에 갈 때는 **향수**를 조금 뿌려요.

관 향수를 뿌리다
참 향수 냄새

화장

명 [화장]

make-up
化妆
化粧

중요한 사진을 찍을 때는 꼭 **화장**을 해요.

동 화장하다
관 화장을 지우다, 화장을 고치다

Fashion

09

가방
명 [가방]

a bag
包
かばん、バッグ

여행하려고 큰 **가방**을 하나 샀어요.

관 가방을 들다 ⇨ p.470, 가방을 메다 ⇨ p.470
참 책가방, 서류 가방, 여행 가방, 등산 가방

귀고리
명 [귀고리]

earrings
耳环
イヤリング

올가 : 이 사진에서 **귀고리**를 한 분이 누구세요?
안나 : 제 언니예요.

유 귀걸이
관 귀고리를 하다

넥타이
명 [넥타이]

a necktie
领带
ネクタイ

양복을 입을 때에는 보통 **넥타이**를 매요.

관 넥타이를 매다 ⇨ p.470, 넥타이를 풀다

모자
명 [모자]

a hat
帽子
帽子

여름에 외출할 때에는 **모자**를 자주 써요.

관 모자를 쓰다 ⇨ p.470, 모자를 벗다

목걸이

명 [목꺼리]

a necklace
项链
ネックレス

생일 선물로 받은 **목걸이**가 정말 마음에 들어요.

목도리

명 [목또리]

a muffler, a neck scarf
围脖、围巾
マフラー

밖이 너무 추워서 집에서 나갈 때 **목도리**를 했어요.

유 머플러
관 목도리를 하다. 목도리를 두르다

반지

명 [반지]

a ring
戒指
リング、指輪

결혼할 때 신랑, 신부는 서로 **반지**를 주고 받아요.

관 반지를 끼다 ⇨ p.470, 반지를 빼다
참 약혼 반지, 결혼 반지

샌들

명 [샌들]

sandals
凉鞋
サンダル

여름에 바닷가에서 놀 때에는 **샌들**을 신는 것이 편해요.

💡 한국 사람들은 보통 '쌘달'이라고 많이 말해요.

Fashion

09

선글라스

🏳

명 [선글라스]

sunglasses
太阳镜
サングラス

여름에는 햇볕이 너무 강하니까 꼭 **선글라스**를 쓰세요.

관 선글라스를 쓰다, 선글라스를 끼다, 선글라스를 벗다
💡 한국 사람들은 보통 '썬글라스'라고 말해요.

손수건

🏳

명 [손쑤건]

a handkerchief
手帕
ハンカチ

영화를 보다가 눈물이 나서 **손수건**으로 닦았어요.

스카프

🏳

명 [스카프]

a scarf
围巾、丝巾
スカーフ

친구 결혼식에 갈 때 빨간색 원피스를 입고 노란색 **스카프**를 했어요.

관 스카프를 하다, 스카프를 매다

스타킹

🏳

명 [스타킹]

stockings
丝袜
ストッキング

여자들은 치마를 입을 때 보통 **스타킹**을 신어요.

관 스타킹을 신다, 스타킹을 벗다
참 스타킹 한 켤레

슬리퍼

명 [슬리퍼]

slippers
拖鞋
スリッパ

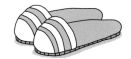

집 안에서 신는 **슬리퍼**를 신고 외출하면 안 돼요.

시계

명 [시계/시계]

a watch, a clock
表、钟
時計

친구가 약속 시간에 안 와서 자꾸 **시계**를 봤어요.

관 시계를 차다, 벽에 시계를 걸다
참 손목시계, 알람 시계, 벽시계

신발

명 [신발]

shoes, footwear
鞋
靴

한국에서는 집 안에 들어갈 때 **신발**을 벗어야 해요.

관 신발을 신다 ⇨ p.470, 신발을 벗다
참 신발 한 켤레

안경

명 [안경]

glasses
眼镜
眼鏡

요즘 눈이 많이 나빠져서 **안경**을 새로 바꿨어요.

관 안경을 쓰다 ⇨ p.470, 안경을 끼다, 안경을 벗다

Fashion

09

양말

명 [양말]

socks
袜子
ソックス、靴下

까만색 양복에 흰색 **양말**은 어울리지 않아요.

관 양말을 신다, 양말을 벗다

장갑

명 [장갑]

gloves
手套
てぶくろ

추우니까 밖에 나갈 때 **장갑**을 끼세요.

관 장갑을 끼다, 장갑을 벗다　　참 고무장갑, 가죽장갑, 털장갑

지갑

명 [지갑]

a wallet
钱包
財布

여행 갔을 때 **지갑**을 잃어버려서 고생했어요.

팔찌

명 [팔찌]

a bracelet
手镯
ブレスレット、腕輪

요즘에는 남자들도 **팔찌**를 많이 차요.

관 팔찌를 차다, 팔찌를 하다

핸드백

명 [핸드백]

a handbag
手提包
ハンドバッグ

미나 씨가 **핸드백**에서 명함을 꺼내서 폴 씨에게 주었어요.

참 손가방

✐ 다음에 알맞은 단어를 〈보기〉에서 찾아 쓰십시오.

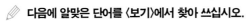

| 보기 | 차다 | 하다 | 쓰다 | 매다 | 신다 | 끼다 |

1.
목걸이
팔찌 ┐ 을/를 ( )
귀고리

2.
모자
안경 ┐ 을/를 ( )
선글라스

3.
슬리퍼
샌들 ┐ 을/를 ( )
스타킹

4.
스카프 ┐ 을/를 ( )
넥타이

✐ 다음 대화를 읽고 질문에 답하십시오.

> 가 어서 오세요. 어떻게 해 드릴까요?
> 나 머리를 ㉠_____ 싶어요.
> 가 무슨 색으로 해 드릴까요?
> 나 요즘 무슨 색이 유행이에요?
> 가 요즘 갈색이 ㉡ 유행이에요.
> 나 그럼, 갈색으로 해 주세요.

5. 여기는 어디입니까?

① 미용실 ② 옷가게 ③ 신발 가게 ④ 은행

6. ㉠에 들어갈 말로 적당한 것은 무엇입니까?

① 자르고 ② 염색하고 ③ 이상하고 ④ 바르고

7. ㉡과 의미가 <u>다른</u> 말은 무엇입니까?

① 사람들에게 인기가 있어요. ② 사람들이 좋아해요.
③ 사람들이 많이 해요. ④ 사람들에게 어울려요.

Fashion

09

구멍

명 [구멍]

a hole
洞
穴

양말에 **구멍**이 나서 창피했어요.

관 구멍이 나다

두껍다

형 [두껍따]
불 'ㅂ'불규칙
⇨ Appendix p.483

to be thick, to be bulky
厚
厚い

날씨가 추우니까 **두꺼운** 옷을 입으세요.

– 이/가 두껍다

반 얇다

디자인

명 [디자인]

design
款式、设计
デザイン

같은 값이면 **디자인**이 더 예쁘고 멋있는 것을 고를 거예요.

마음

명 [마음]

mind
心
心

점원 : 어느 구두가 더 **마음**에 드세요?
안나 : 저는 이 구두가 더 **마음**에 들어요.

관 마음에 들다/안 들다

멋

명 [멋]

stylishness, charming

风度、美

おしゃれ、格好よさ

그 영화에 나오는 배우 중에서 누가 제일 **멋**있어요?

관 멋(이) 있다/없다, 멋내다
참 멋쟁이

무늬

명 [무니]

a pattern

(花) 纹

模様、柄

왕핑 : 저, 혹시 아까 줄**무늬** 셔츠를 입은 사람 못
　　　보셨어요?

피터 : 못 봤는데요.

참 줄무늬, 체크무늬, 꽃무늬, 물방울무늬

바지

명 [바지]

pants

裤子

ズボン

요시코 : 저, 까만색 **바지**를 하나 사려고 하는데요.

점원 : 이쪽으로 오세요. 이거 어떠세요?

관 청바지, 반바지, 긴바지

반

명 [반ː]

(a) half

半

半分

치마 길이를 **반**으로 줄여 주세요.

참 반바지, 반팔 티셔츠, 반소매 티셔츠

Fashion

09

반바지

🗨 명 [반ː바지]

shorts
短裤
半ズボン

날씨가 너무 더워서 요즘에는 **반바지**를 자주 입어요.

반 긴바지

반팔

🗨 명 [반ː팔]

short sleeves
短袖
半そで

산 속에서는 **반팔** 티셔츠만 입으면 추울 거예요.
긴팔 티셔츠도 하나 준비하세요.

반 긴팔
유 반소매

블라우스

🗨 명 [블라우스]

a blouse
女衬衫
ブラウス

이 정장에는 밝은 색 **블라우스**가 잘 어울려요.

새

🗨 관 [새]

new
新
新しい、新たな

면접 볼 때 입으려고 **새** 옷을 샀어요.

반 헌

💡 '새' 다음에는 명사가 오고, '새로' 다음에는 동사가 와요.

새로

부 [새로]

newly
新
新たに

새로 산 구두가 조금 작아서 발이 불편해요.

셔츠
명 [셔츠]

a shirt
襯衫
シャツ

이 까만색 바지에 무슨 색 **셔츠**가 어울릴까요?

참 와이셔츠, 티셔츠

속
명 [속]

the inside
内、里
中、奧

날씨가 너무 쌀쌀해서 주머니 **속**에 손을 넣었어요.

유 안 ⇨ p.349
반 겉

스웨터
명 [스웨터]

a sweater
毛衣
セーター

날씨가 쌀쌀해져서 **스웨터**를 꺼내 입었어요.

양복
명 [양복]

a suit
西服
スーツ、背広

요즘에는 근무 시간에 **양복**을 안 입어도
되는 회사가 많습니다.

옷

명 [옫]

clothes
衣服
服、洋服

동대문 시장이나 남대문 시장에는 값이 싼 **옷**이 많이 있어요.

와이셔츠

명 [와이셔츠]

a (white) shirt
男衬衫
ワイシャツ

저는 집안일 중에서 **와이셔츠** 다리는 일이 제일 싫어요.

💡 와이셔츠는 영어 '화이트 셔츠(white shirt)'의 짧은 말이에요.

외투

명 [외ː투/웨ː투]

an overcoat
外套、大衣
コート、外套

외투를 벗어서 옷걸이에 걸었어요.

유 코트 ⇨ p.296

원피스

명 [원피스]

a one-piece dress
连衣裙
ワンピース

저기 꽃무늬 **원피스**를 입고 있는 여자 아이가 아주 귀여워요.

웨딩드레스

🏳

명 [웨딩드레스]

a wedding dress
婚纱
ウェディングドレス

하얀 **웨딩드레스**를 입은 신부가
아름다웠어요.

잠바

🏳

명 [잠바]

a jumper, a jacket
夹克衫
ジャンパー

날씨가 추울 때는 두꺼운 **잠바**를 입으세요.

유 점퍼

정장

🏳

명 [정장]

a suit, formal dress
正装
正装、スーツ

결혼식에 갈 때에는 보통 **정장**을 입어요.

참 남성 정장 = 양복, 여성 정장

조끼

🏳

명 [조끼]

a vest
背心
チョッキ、ベスト

남자 한복에는 **조끼**가 있어요.

주머니

🏳

명 [주머니]

a pocket
口袋
ポケット

남자들은 보통 지갑을 바지 **주머니**에 넣어요.

유 호주머니

찢다

동 [찓따]

to rip, to tear
撕
裂く、破る

요즘에는 청바지를 **찢어서** 입는 사람들이 많아요.

-을/를 찢다

청바지

명 [청바지]

blue jeans
牛仔裤
ジーパン、ジーンズ

학교에 다닐 때는 **청바지**를 즐겨 입어요.

치마

명 [치마]

a skirt
裙子
スカート

요즘에는 짧은 **치마**가 유행이에요.

참 짧은 치마, 긴치마

코트

명 [코트]

a coat
大衣
コート

한국은 겨울에 아주 추워서
두꺼운 **코트**가 필요해요.

유 외투 ⇨ p.294

티셔츠

명 [티셔츠]

a T-shirt
T恤衫
Tシャツ

월드컵 경기 때 한국 사람들은 빨간색 **티셔츠**를 입고 응원했어요.

한복

명 [한:복]

Hanbok Korean traditional attire
韓服
韓服 韓国の伝統衣装

미나 : **한복**을 입어 본 적이 있어요?
피터 : 네, 그런데 생각보다 입는
방법이 복잡했어요.

Fashion

09

화려하다

형 [화려하다]

to be splendid
华丽
華やかだ

파티에 갈 때 입으려고 **화려한** 옷을 샀어요.

- 이/가 화려하다

관 옷이 화려하다, 색깔이 화려하다

✎ **다음 질문에 답하십시오.**

1. 다음 _____에 공통으로 들어갈 수 있는 말은 무엇입니까?

> _____바지, _____팔 티셔츠

① 반   ② 새   ③ 속   ④ 무늬

2. 다음 중 관계가 <u>다른</u> 하나는 무엇입니까?

① 멋있다 - 멋없다   ② 두껍다 - 얇다

③ 새 - 새로   ④ 입다 - 벗다

3. 다음 〈보기〉의 옷을 모두 입을 수 있는 계절은 어느 계절입니까?

보기	외투	스웨터	잠바(점퍼)

① 봄   ② 여름   ③ 가을   ④ 겨울

✎ **다음 그림에 해당하는 단어를 〈보기〉에서 찾아 쓰십시오.**

보기	치마	바지	양복	티셔츠

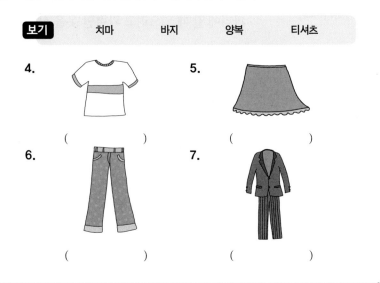

4.   (   )

5.   (   )

6.   (   )

7.   (   )

Korean through Chinese Characters

✏️ **Let's look at how Korean words are related to Chinese Characters.**

---

prices `p.316`
物价
物価

서울은 북경보다 물가가 비쌉니다.

물가

---

a thing `p.306`
东西(物件)
物

남대문 시장에는 싼 물건이 아주 많습니다.

물건

---

a building `p.372`
建筑
建物

우리 사무실은 저 건물 5층에 있습니다.

건물

物 | 물

물건
a thing
东西
物

---

a gift `p.307`
礼物
プレゼント、贈り物

생일에 무슨 선물을 받고 싶어요?

선물

분실물

a lost article `p.99`
失物
遺失物

잃어버린 물건을 찾으려면 분실물 센터에 연락해 보세요.

동물원

a zoo `p.209`
动物园
動物園

이번 주말에 우리 가족은 동물원에 가려고 합니다.

10

경제활동

Economic Activities

가게

명 [가:게]

a store
商店
店

안나 씨는 우유를 사러 **가게**에 갑니다.

참 옷 가게, 신발 가게, 꽃 가게

가볍다

형 [가볍따]
불 'ㅂ'불규칙
⇨ Appendix p.482

to be light-weight
轻
軽い

가방에 물건이 별로 없어서 **가벼워요**.

– 이/가 가볍다

반 무겁다 ⇨ p.306

구두

명 [구두]

shoes
皮鞋
革靴

리에 씨는 신발 가게에 가서 예쁜 **구두**를 샀어요.

그

관 [그]

that
那
その

그 가방은 얼마예요?

그 + 《명사》

참 이 ⇨ p.309
저 ⇨ p.351

그것

대 [그걷]

that one
那个
それ

그것보다 좀 싼거 없어요?

참 이것 ⇨ p.310
저것 ⇨ p.310

💡 그것은 → 그건, 그것이 → 그게, 그것을 →그걸, 그것으로 →그걸로

그렇다

형 [그러타]
불 'ㅎ'불규칙
⇨ Appendix p.484

to be so
是的
そのようだ

안나 : 그 옷은 너무 커요.

피터 : **그래요**?

– 이/가 그렇다
그런 + 《명사》

참 이렇다 ⇨ p.310, 저렇다 ⇨ p.311

깎다

동 [깍따]

to lower the price
折价
まける、安くする

아주머니, 너무 비싸요. 좀 **깎아** 주세요.

관 값을 깎다, 가격을 깎다

꽤

부 [꽤]

considerably, quite
相当
かなり

내가 사고 싶은 가방은 **꽤** 비싸요.

Economic Activities

10

내다

동 [내다]

to pay
付、出
出す

리에 씨는 물건을 사고 돈을 **냈어요**.

- 을/를 내다

권 돈을 내다. 숙제를 내다. 화를 내다

다

부 [다:]

all, every
都
全部、みんな

안나 : 아주머니, 사과 있어요?

아주머니 : 아니요, **다** 팔렸어요.

유 모두 ⇨ p.306, 전부

단골

명 [단골]

a regular customer
老主顾
常連、行きつけ

저는 그 가게 **단골**이라서 자주 갑니다.

참 단골 가게, 단골 손님

더

부 [더]

more
更
もっと

이것보다 저것이 **더** 예쁜 것 같아요.

반 덜

또

부 [또]

again
又、再
また

점원이 친절한 가게는 **또** 가고 싶어요.

만지다

동 [만지다]

to touch
摸
いじる、さわる

손님, 만지지 **마시고** 그냥 보기만 하세요.

– 을/를 만지다

많다

형 [만ː타]

to be many, to be much
多
多い

동대문 시장에는 사람들이 아주 **많습니다**.

– 이/가 많다

반 적다 ⇨ p.311

많이

부 [마ː니]

a lot, many
多
たくさん

올가 씨는 백화점에 가서 물건을 **많이** 샀어요.

반 조금 ⇨ p.312

Economic Activities

10

모두

명 부 [모두]

all, everything
全部、一共
全部、みんな

이곳에 있는 가게 **모두**가 신발만 팔아요?

이거 **모두** 얼마예요?

유 다 ⇨ p.304
　　전부

무겁다

형 [무겁따]
불 'ㅂ'불규칙
⇨ Appendix p.483

to be heavy
重
重い

너무 많이 사서 짐이 **무거워요**.

– 이/가 무겁다

반 가볍다 ⇨ p.302

무게

명 [무게]

weight
重量
重さ、重み

이 여행 가방의 **무게**는 10kg이에요.

관 무게가 많이 나가다. 무게가 적게 나가다

물건

명 [물건]

things
东西(物件)
物

시장에 가서 필요한 **물건**을 다 샀어요.

비싸다

형 [비싸다]

to be expensive
贵
(値段が) 高い

이 옷은 너무 **비싸요**. 조금 싼 것을 보여 주세요.

– 이/가 비싸다

반 싸다 ⇨ p.308

빵집

명 [빵찝]

a bakery
面包店
パン屋

빵을 사러 **빵집**에 갑니다.

유 제과점

사다

동 [사다]

to buy
买
買う

백화점에 가서 모자를 **샀어요**.

– 을/를 사다

반 팔다 ⇨ p.327

선물

명 [선:물]

a present
礼物
プレゼント、贈り物

안나 씨는 친구의 생일 **선물**을 사러 백화점에 갔습니다.

– 에게 – 을/를 선물하다

동 선물하다
관 선물을 사다, 선물을 주다, 선물을 받다
참 생일 선물, 졸업 선물, 결혼 선물, 축하 선물

Economic Activities

10

손님

명 [손님]

a customer
客人
お客さん

손님, 무엇을 찾으세요?

참 손님이 있다, 손님이 많다

슈퍼마켓

명 [슈퍼마켇]

a supermarket
超市
スーパーマーケット

리에 씨는 **슈퍼마켓**에 가서 라면을 샀어요.

시장

명 [시:장]

a market
市场
市場

백화점 물건보다 **시장** 물건이 더 싸요.

참 동대문 시장, 남대문 시장

싸다

명 [싸다]

to be cheap
便宜
安い

그 옷은 디자인도 예쁘고 **싸니까** 좋아요.

－이/가 싸다

반 비싸다 ⇨ p.307

어떻다

- 형 [어떠타]
- 불 'ㅎ'불규칙
- ⇨ Appendix p.484

how about
怎么样
どうだ

안나 : 이 옷 **어때요**?

리에 : 디자인이 예쁘네요!

– 이/가 어떻다
어떤 +《명사》

어서

- 부 [어서]

quickly
快
はやく、どうぞ

아주머니 : 손님, **어서** 오세요.

왕위 : 아주머니, 수박 있어요?

관 어서 오다

💡 '어서 오세요, 어서 오십시오.'로 많이 사용해요.

얼마

- 명 [얼마]

what price, how much, some amount
多少(钱)
いくら

리에 : 아주머니, 이거 **얼마**예요?

아주머니 : 5,000원이에요.

이

- 관 [이]

this
这
この

이 가게에는 물건이 아주 많습니다.

참 그 ⇨ p.302
저 ⇨ p.351

Economic Activities

10

이것

명 [이걷]

this one
这个
これ

왕위 : 리에 씨, 그게 뭐예요?

리에 : **이것**은 제 선물이에요.

참 그것 ⇨ p.303, 저것 ⇨ p.310

💡 이것은→이건, 이것이→이게, 이것을→이걸, 이것으로→이걸로

이렇다

형 [이러타]
불 'ㅎ'불규칙
⇨ Appendix p.484

like this
这样
このようだ

이런 옷은 어디에서 팔아요?

– 이/가 이렇다

이런 +《명사》

부 이렇게
참 그렇다 ⇨ p.303, 저렇다 ⇨ p.311

잔돈

명 [잔돈]

small change
零钱
細かいお金、小銭

자판기 커피를 마시고 싶은데, **잔돈**이 없어요.
200원만 빌려주세요.

저것

대 [저걷]

that one
那个
あれ

피터 씨 뒤에 있는 **저것**은 얼마예요?

참 이것 ⇨ p.310, 그것 ⇨ p.303

💡 저것은→저건, 저것이→저게, 저것을→저걸, 저것으로→저걸로

저렇다

⟨형⟩ [저러타]
⟨불⟩ 'ㅎ'불규칙
⇨ Appendix p.484

like that
那样
あのようだ

안나 : 저 사람 좀 봐.
리에 : 와, **저렇게** 키가 큰 사람은 처음 봐.

– 이/가 저렇다
저런 + 《명사》

⟨부⟩ 저렇게
⟨참⟩ 이렇다 ⇨ p.310
　　그렇다 ⇨ p.303

저울

⟨명⟩ [저울]

scales
秤
はかり

아저씨는 소고기를 **저울**에 놓고 무게를 달았어요.

– 을/를 저울에 달다

⟨관⟩ 저울로 무게를 달다

적다

⟨형⟩ [적:따]

to be (a) few, to be (a) little
少
少ない

오늘은 일요일이어서 문을 연 가게가 **적을** 거예요.

– 이/가 적다

⟨반⟩ 많다 ⇨ p.305
💡 '적다'는 숫자에 대해서 쓰고, '작다'는 크기에 대해서 써요.

조금

명 부 [조금]

a little, a few
一点儿
すこし

그건 너무 **조금**이에요. 더 주세요.

그건 **조금** 비싼 것 같아요.

반 많이 ⇨ p.305

💡 한국 사람들이 '쪼금'이라고 말하기도 해요.

주다

동 [주다]

to give
给
あげる、くれる

리에 씨가 저에게 선물을 **주었어요**.

- 에게 - 을/를 주다

반 받다 ⇨ p.199
높 드리다 ⇨ p.186

주인

명 [주인]

an owner
主人
主人、持ち主

저 가게의 **주인** 아주머니는 아주 친절하십니다.

중고

명 [중고]

secondhand goods, a used article
二手、旧货
中古

그 차는 새 것이 아니라 **중고**예요.

참 중고품, 중고차, 중고 가구

짜리

웹 [짜리]

a thing worth, value
…的
〜に値するもの

안나 : 500원**짜리** 동전 있어요?
리에 : 미안해요. 100원**짜리**밖에 없어요.

크기

명 [크기]

size
大小
大きさ、サイズ

신발 **크기**가 어떻게 되세요?

형 크다
관 크기가 크다/작다

한번

명 [한번]

a try, a trial
一次、一下儿
一度

요시코 : 아줌마, 이 구두 **한번** 신어 봐도 돼요?
아줌마 : 그럼요, 발 크기가 어떻게 되세요?

💡 '한 번'은 정말 1번(once)의 의미이고, '한번'은 '해 보다'의 의미로 써요.

Economic Activities

10

✎ 다음 질문에 답하십시오.

1. 다음 중 관계가 <u>다른</u> 하나를 고르십시오.

① 가볍다 – 무겁다   ② 싸다 – 비싸다

③ 많다 – 적다   ④ 사다 – 주다

2. 다음 밑줄 친 부분의 의미와 가장 비슷한 것을 고르십시오.

> 저 분은 우리 식당에 <u>자주 오시는 분</u>이에요.

① 주인   ② 손님   ③ 단골   ④ 사람

✎ 다음 _____에 들어갈 알맞은 말을 고르십시오.

3.
> 아저씨, 값이 너무 비싼 것 같아요. 조금만 _____ 주세요.

① 사   ② 내   ③ 적어   ④ 깎아

4.
> 물건을 다 골랐어요? 그럼 빨리 돈을 _____ 갑시다.

① 내고   ② 적고   ③ 깍고   ④ 싸고

5.
> 손님, 물건을 _____ 마시고 그냥 보기만 하세요.

① 가볍지   ② 만지지   ③ 적지   ④ 무겁지

경제
명 [경제]

economy
经济
経済

요즘 한국 **경제**는 어떻습니까?

관 경제가 좋다, 경제가 나쁘다
참 경제 문제, 경제 상황, 경제학, 경제적

달러
명 [달러]

a dollar
美元
ドル

은행에 가서 **달러**를 한국 돈으로 바꿨어요.

참 원, 엔, 위안

도장
명 [도장]

a stamp, a seal
印章
はんこ、印鑑

은행에서 통장을 만들 때 **도장**이 필요해요?

관 도장을 찍다

돈
명 [돈:]

money
钱
お金

요즘은 선물 대신 **돈**을 주는 사람도 많아요.

관 돈을 벌다, 돈을 쓰다, 돈이 들다, 돈을 빌리다, 돈을 갚다, 돈을 잃다

동전

명 [동전]

a coin
硬币
コイン

여기에 백 원짜리 **동전** 3개를 넣으세요.

반 지폐

들다

동 [들다]
불 'ㄹ'불규칙
➪ Appendix p.481

to cost money
中意、看上、需要
(費用が) かかる

해외로 여행을 가면 돈이 많이 **들어요**.

관 마음에 들다, 돈이 들다

무역

명 [무:역]

trade
贸易
貿易

우리 회사는 중국에 있는 회사와 **무역**을 많이 합니다.

– 이/가 – 와/과 무역하다

동 무역하다
참 무역 회사

물가

명 [물까]

prices of commoditie, living cost
物价
物価

요즘 **물가**가 많이 올랐어요.

관 물가가 싸다/비싸다, 물가가 오르다/내리다

벌다

ⓓ [벌:다]
불 'ㄹ'불규칙
⇨ Appendix p.481

to earn
挣
稼ぐ、儲ける

열심히 일해서 돈을 많이 **벌었어요**.

- 을/를 벌다

관 돈을 벌다

부자

명 [부:자]

a rich person
富人
お金持ち

부자가 되면 어려운 사람들을 도와주고 싶어요.

반 가난한 사람, 빈자

부족하다

형 [부조카다]

to be insufficient, to be lacking
不足
足りない、不足する

새 컴퓨터를 사려고 하는데 돈이 좀 **부족해요**.

- 이/가 부족하다

명 부족
반 충분하다 ⇨ p.320
유 모자라다 ⇨ p.323

비밀번호

명 [비:밀번호]

a password
密码
暗証番号

비밀번호를 잊어버렸는데 어떻게 해요?

신용 카드

명 [시뇽카드]

a credit card
信用卡
クレジットカード

요즘은 현금보다 **신용 카드**를 사용하는 사람이 많아요.

신청

명 [신청]

application
申请
申し込み

은행에 신용 카드를 **신청**했는데 아직 못 받았어요.

– 을/를 신청하다

동 신청하다
참 신청서, 카드 신청, 비자 신청

아끼다

동 [아끼다]

to use sparingly
节省
大切にする、節約する

그렇게 돈을 많이 쓰지 말고 좀 **아껴** 쓰세요.

– 을/를 아끼다

관 돈을 아끼다, 시간을 아끼다, 물건을 아끼다, 물을 아끼다
💡 쓸 때는 '아껴 쓰다'라는 단어로 많이 써요.

오르다

동 [오르다]
불 '르'불규칙
➪ Appendix p.482

to increase
涨
上がる

월급이 많이 **올라서** 기분이 좋아요.

– 이/가 오르다

반 내리다
관 물가가 오르다, 월급이 오르다, 등록금이 오르다, 가격이 오르다

용돈

명 [용:똔]

pocket money
零用钱
小遣い

저는 아르바이트를 해서 **용돈**을 벌었어요.

관 용돈을 벌다, 용돈을 쓰다, 용돈을 받다

월급

명 [월급]

a (monthly) salary
月薪
月給

우리 회사 **월급**이 다른 회사 **월급**보다 많아요.

관 월급이 많다/적다, 월급을 주다/받다, 월급을 타다
참 월급날

은행

명 [은행]

a bank
银行
銀行

환전을 하러 **은행**에 가요.

저금

명 [저:금]

savings
存款
貯金

한 달에 얼마 정도 **저금**해요?

동 저금하다
참 돼지 저금통

중요하다

형 [중:요하다]

to be important
重要
重要だ

취직할 때 가장 **중요하게** 생각하는 것이 뭐예요?

– 이/가 중요하다
명 중요

충분하다

형 [충분하다]

to be sufficient, to be enough
充分、充足
十分だ

돈이 **충분하니까** 필요한 것을 모두 사세요.

– 이/가 충분하다
반 부족하다 ⇨ p.317
　 모자라다 ⇨ p.323

카드

명 [카드]

a card
卡
カード

현금 **카드**가 있으면 돈 찾기가 편해요.

참 축하 카드, 크리스마스 카드, 교통 카드, 신용 카드, 현금 카드

통장

명 [통장]

a bankbook
存折
通帳

은행에서 새 **통장**을 만들었어요.

참 월급 통장, 예금 통장

필요

명 [피료]

necessity, need
需要
必要

여행갈 때 **필요**한 것을 모두 샀어요.

– 이/가 필요하다
– 이/가 필요 없다

형 필요하다
관 필요(가) 없다

현금

명 [현:금]

cash
現金
現金

현금이 없으면 신용 카드로 계산하세요.

관 현금이 있다/없다
참 현금 영수증, 현금지급기

 수표

 지폐

 동전

환전

명 [환전]

exchange of money
換钱
両替

미국 여행을 가기 전에 한국 돈을 달러로 **환전**했어요.

– 을/를 – (으)로 환전하다
동 환전하다

가격

명 [가격]

price
价格
価格、値段

이 휴대전화 **가격**이 얼마예요?

관 가격이 오르다, 가격이 내리다
참 가격 인하, 가격 인상

값

명 [갑]

cost
价钱
値、値段

물건 **값**이 많이 올랐어요.

관 값이 싸다/비싸다, 값이 오르다/내리다
참 밥 값, 쌀 값, 물건 값

거스름돈

명 [거스름똔]

change
找钱
おつり

물건을 산 후에 **거스름돈** 받는 것을 잊어버렸어요.

유 잔돈

계산

명 [계:산/게:산]

calculation
结账
計算、会計、勘定

여기 얼마예요? **계산**해 주세요.

- 을/를 계산하다

동 계산하다   참 계산서, 계산기

고르다

🗨️☑️

동 [고르다]
불 '르'불규칙
⇨ Appendix p.482

to choose
挑选
選ぶ

이 물건들 중에서 하나만 **고르세요**.

– 에서 – 을/를 고르다

유 선택하다

교환

🗨️☑️

명 [교환]

exchange
换
交換

이 신발을 조금 더 큰 것으로 **교환**해 주세요.

– 을/를 – (으)로 교환하다

동 교환하다
참 언어 교환, 정보 교환, 교환 학생, 교환 교수

다양하다

🗨️

형 [다양하다]

to be diverse, to be various
多种多样
多様だ

요즘 휴대전화는 디자인이 정말 **다양해요**.

– 이/가 다양하다

모자라다

🗨️☑️

동 [모:자라다]

to be insufficient, to be lacking
缺、不足
足りない

동전이 **모자라는데**, 좀 빌려주시겠어요?

– 이/가 모자라다
반 충분하다 ⇨ p.320
유 부족하다 ⇨ p.317

Economic Activities

10

무료

명 [무료]

free charge
免费
無料

이것은 **무료**로 드리는 거니까 그냥 가져 가세요.

반 유료
유 공짜
참 무료 입장, 무료 상영

바꾸다

동 [바꾸다]

to change
换
取り替える、換える、交換する

이 노란색 원피스를 빨간색으로 **바꿀** 수 있어요?

- 을/를 - (으)로 바꾸다

바뀌다

동 [바뀌다]

to get changed
被换成
かわる、入れ替わる

아까 가게에서 산 옷이 친구의 것과 **바뀌었어요**.

- 이/가 - (으)로 바뀌다
- 이/가 - 와/과 바뀌다

백화점

명 [배콰점]

a department store
百货商店
百貨店、デパート

어머니 생신에 드릴 선물을 사러 **백화점**에 갔어요.

상품
명 [상품]

merchandise, goods
商品
商品

백화점에는 다양한 **상품**이 많이 있어요.

참 상품권

선택
명 [선:택]

choice, selection
选择
選択

모두 마음에 들어서 하나만 **선택**하기가 어렵네요.

– 을/를 선택하다
– 이/가 선택되다

동 선택하다, 선택되다
유 고르다 ⇨ p.323

세일
명 [세일]

a sale
甩卖
セール

세일 기간에 사면 좋은 물건을 싸게 살 수 있어요.

– 을/를 세일하다

동 세일하다
참 세일 중, 세일 기간

쇼핑
명 [쇼핑]

shopping
购物
ショッピング、買い物

백화점 세일 기간에는 **쇼핑**하는 사람이 많아서 복잡합니다.

동 쇼핑하다

영수증

명 [영수증]

a receipt
发票
レシート、領収書

물건을 교환하거나 환불할 때는 **영수증**을 꼭 가지고 오세요.

참 현금 영수증, 카드 영수증

점원

명 [저:원]

a clerk
店员
店員

안나 씨는 서점에서 **점원**으로 일한 적이 있어요.

줄

명 [줄]

a line
队
列

여러분, **줄**을 서서 기다려 주세요.

동 줄을 서다

판매

명 [판매]

a sale, selling
销售
販売

이 상품은 이번 주까지만 싸게 **판매**합니다.

– 을/를 판매하다

동 판매하다
참 할인 판매, 판매 가격

팔다

동 [팔다]
불 'ㄹ'불규칙
⇒ Appendix p.482

to sell
卖
売る

오늘은 손님이 많아서 물건을 많이 **팔았어요**.

– 에게 – 을/를 팔다

반 사다 ⇒ p.307

팔리다

동 [팔리다]

to be sold
卖出
売れる

요즘 가장 잘 **팔리는** 물건이 뭐예요?

– 이/가 팔리다

포장

명 [포장]

wrapping, packing
包装
包装、ラッピング

선물 할 거니까 예쁘게 **포장**해 주세요.

– 을/를 – (으)로 포장하다

동 포장하다
참 포장지

Economic Activities

10

327

✍ 다음에서 의미가 같은 것끼리 연결하십시오.

1. •   • ① 원

2. •   • ② 신용카드

3. •   • ③ 동전

4. •   • ④ 도장

✍ 다음 밑줄 친 부분과 비슷한 의미의 단어를 고르십시오.

5.
> 그 물건은 5만 원인데, 지금 4만 원 밖에 없어요. 만 원이 모자라요.

① 부족해요   ② 중요해요   ③ 다양해요   ④ 충분해요

6.
> 외국에 여행가기 전에 돈을 미리 바꾸세요.

① 사세요   ② 환전하세요   ③ 아끼세요   ④ 버세요

✍ 다음 질문에 답하십시오.

7. 다음 중 두 단어의 관계가 서로 다른 하나를 고르십시오.

① 오르다 – 내리다   ② 충분하다 – 모자라다

③ 필요하다 – 필요 없다   ④ 팔다 – 팔리다

8. 다음 _____에 공통으로 들어갈 말을 고르십시오.

> 해외여행은 국내여행보다 돈이 더 _____.
> 저는 그 옷이 마음에 _____.

① 중요해요   ② 들어요   ③ 몰라요   ④ 다양해요

✎ **Let's look at how Korean words
are related to Chinese Characters.**

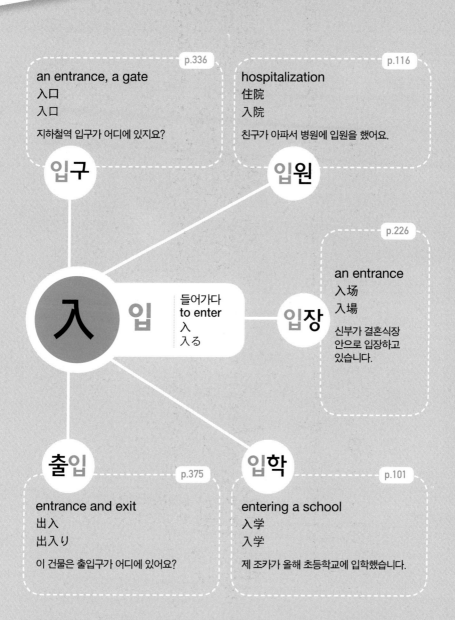

입구

an entrance, a gate
入口
入口

지하철역 입구가 어디에 있지요?

p.336

입원

hospitalization
住院
入院

친구가 아파서 병원에 입원을 했어요.

p.116

入　입　들어가다
to enter
入
入る

입장

an entrance
入场
入場

신부가 결혼식장
안으로 입장하고
있습니다.

p.226

출입

entrance and exit
出入
出入り

이 건물은 출입구가 어디에 있어요?

p.375

입학

entering a school
入学
入学

제 조카가 올해 초등학교에 입학했습니다.

p.101

11

교통/통신
Transportation/ Communication

Korean through Chinese Characters

가다

동 [가다]

to go
去
行く

명동에 **가려면** 지하철 4호선을 타세요.

– 이/가 – 에 가다

반 오다 ⇨ p.201

건너가다

동 [건:너가다]

to cross
过
渡る

다리를 **건너갈** 때 차가 많이 밀렸어요.

– 을/를 건너가다

반 건너오다

걷다

동 [걷:따]
불 'ㄷ'불규칙
⇨ Appendix p.481

to walk
走
歩く

저는 집에서 학교까지 **걸어서** 갑니다.

– 을/를 걷다

명 걸음
참 걸어가다/오다

길

명 [길]

a road, a street
路
道

이 **길**은 차가 많아서 아주 복잡합니다.

반 큰길, 좁은 길, 골목길, 찻길

돌다

동 [돌:다]
불 'ㄹ'불규칙
⇨ Appendix p.481

to turn
拐、转
まわる、(道を) 曲がる

오른쪽으로 **돌면** 식당이 있습니다.

– 을/를 돌다
– (으)로 돌다

참 돌아가다 ⇨ p.359
돌아오다 ⇨ p.333

돌아오다

동 [도라오다]

to return, to come a long way round
回来
帰ってくる、戻ってくる

길을 몰라서 먼 길로 **돌아왔어요**.

어제 여행에서 **돌아왔어요**.

반 돌아가다 ⇨ p.359

멀다

형 [멀:다]
불 'ㄹ'불규칙
⇨ Appendix p.481

to be far
远
遠い

집에서 회사까지 아주 **멀어요**.

– 이/가 멀다

반 가깝다 ⇨ p.346

Transportation/
Communication

11

몇

관 [면]

how many, how much
几、多少
いくつの、いくつかの、何

여기에서 학교까지 몇 분 걸려요?

몇 +《명사》

참 몇 분, 몇 시간, 몇 명

묻다

동 [묻ː따]
불 'ㄷ'불규칙
⇨ Appendix p.481

to ask
问
尋ねる、質問する

길을 몰라서 지나가는 사람에게 물어봤어요.

– 에게 – 을/를 묻다

반 대답하다 ⇨ p.79, 답하다 ⇨ p.89
명 물음 ⇨ p.89

사거리

명 [사ː거리]

intersection, a crossroads
十字路口
十字路

사거리에 있는 신호등이 고장나서 길이 복잡해요.

유 네거리

약도

명 [약또]

a rough sketch of a map
草图
略図

약도를 보고 길을 찾아왔어요.

어디

대 [어디]

where
哪里
どこ

학교가 **어디**에 있어요?

얼마나

부 [얼마나]

how long, how much
多长、多少、多么
いくら、どのくらい、どれほど

시청까지 가려면 시간이 **얼마나** 걸려요?

역

명 [역]

a station
站
駅

가까운 지하철**역**에 내려 주세요.

참 지하철역, 서울역, 기차역

우회전

명 [우:회전]

the right, a right-hand turn
右拐、右转
右折

저 앞에서 **우회전**해 주세요.

동 우회전하다
반 좌회전 ⇨ p.337
참 직진
💡 '오른쪽으로 가세요'와 뜻이 같아요.

육교

명 [육꾜]

a pedestrian overpass
过街天桥
歩道橋

집에 갈때 **육교**를 건너가야 합니다.

관 육교를 건너다

입구

명 [입꾸]

an entrance
入口
入口

우리는 극장 **입구**에서 만나기로 했어요.

반 출구 ⇨ p.337

💡 '입구'와 '출구'를 같이 '출입구'라고 해요.

정도

명 [정도]

about
左右
程度

집에서 학교까지 버스로 20분 **정도** 걸려요.

유 쯤 ⇨ p.462

정류장

명 [정뉴장]

a stop, a station
车站
停留所

다음 **정류장**이 어디예요?

유 정거장
참 버스 정류장, 택시 정류장

좌회전

명 [좌:회전/
좌:훼전]

the left, a left-hand turn
左拐、左转
左折

사거리에서 **좌회전**해 주세요.

동 좌회전하다
반 우회전 ⇨ p.335
참 직진
💡 '왼쪽으로 가세요'와 같아요.

주소

명 [주:소]

an address
地址
住所

주소를 알면 집을 쉽게 찾아갈 수 있어요.

참 집 주소, 이메일 주소, 회사 주소, 주소록

지나가다

동 [지나가다]

to go by, to pass by
经过
通り過ぎる

학교 앞을 **지나가다가** 친구를 만났어요.

– 을/를 지나가다

출구

명 [출구]

an exit
出口
出口

신촌역 3번 **출구**에서 만나자.

반 입구 ⇨ p.336
관 출구로 나가다/나오다

Transportation/
Communication

11

337

한

관 [한]

about
大约
だいたい、約

집에서 학교까지 **한** 30분쯤 걸려요.

한 10분쯤 더 쉬고 출발하자.

유 약

회전

명 [회전/훼전]

turn
转
回転、～折

약국 앞에서 좌**회전**해서 쭉 올라오세요. 그러면 저희 회사가 보여요.

· (으)로 회전하다

동 회전하다
참 좌회전, 우회전, 회전 초밥, 회전목마, 회전문

횡단보도

명 [횡단보도/
횡단보도]

a crosswalk
人行横道
横断歩道

파란 불이 켜지면 **횡단보도**를 건너세요.

track **42**

곧장

부 [곧짱]

straight, directly, right away
一直
道なりにすぐに

사거리를 지나서 **곧장** 걸어오면 약국이 보입니다.

회사가 끝나자마자 **곧장** 집으로 갔어요.

💡 '직진/똑바로' 와 '곧/당장'의 의미가 있어요.

똑바로

부 [똑빠로]

straight
一直
道なりにまっすぐ

여기에서 **똑바로** 가 주세요.

유 쭉 ⇨ p.341

방향

명 [방향]

a direction
方向
方向

어느 **방향**이 동쪽이에요?

북쪽

명 [북쪽]

the north
北边
北 (側)

한강의 **북쪽**을 강북이라고 부릅니다.

반 남쪽
참 동쪽, 서쪽

Transportation/
Communication

11

오른쪽

명 [오른쪽]

the right
右边
右 (側)

오른쪽으로 가시면 엘리베이터가 있습니다.

반 왼쪽 ⇨ p.340

올라가다

동 [올라가다]

to go up
上去
上がる、登る

2층에 가려면 계단으로 **올라가세요**.

– 에 올라가다
– (으)로 올라가다

반 내려가다 ⇨ p.373 내려오다

왼쪽

명 [왼쪽]

the left
左边
左 （側）

왼쪽으로 돌아가면 화장실이 나옵니다.

반 오른쪽 ⇨ p.340

이리

부 [이리]

here
到这边
こちらへ

이리 가까이 앉으세요.

참 그리, 저리

이쪽

대 [이쪽]

this way
这边
こちら

이쪽으로 가시면 병원이 나와요.

참 저쪽 ⇨ p.341
그쪽

저쪽

대 [저쪽]

the other side, that way
那边
あちら

우리 **저쪽**으로 가서 택시를 탑시다.

쪽

명 [쪽]

in the direction of
边、方
方向

사람들이 소리나는 **쪽**을 쳐다봐요.

유 편 　　　　참 오른쪽, 왼쪽, 동쪽, 서쪽, 남쪽, 북쪽

쭉

부 [쭉]

straight
一直
ずっと

저쪽으로 **쭉** 가시면 우체국이 보일거예요.

유 똑바로 ⇨ p.339

행

접 [행]

bound for
开往
～行き

부산**행** 열차가 곧 출발하겠습니다.

참 서울행, 미국행

✎ 다음 중 의미가 같은 것끼리 연결하십시오.

1. 　•

　　　　　　　　　　　•　① 좌회전

2. 　•

　　　　　　　　　　　•　② 우회전

3. 　•

　　　　　　　　　　　•　③ 직진

✎ 다음 질문에 답하십시오.

4. 다음 중 관계가 <u>다른</u> 하나를 고르십시오.

　① 묻다 - 대답하다　　　　② 올라가다 - 내려가다

　③ 지나가다 - 돌아가다　　④ 건너가다 - 건너오다

5. 다음 대화의 _____에 알맞은 단어를 고르십시오.

> 가 집에서 학교까지 시간이 얼마나 걸려요?
> 나 지하철로 1시간 걸려요.
> 가 학교가 _____.

　① 가깝군요　　② 멀군요　　③ 좋군요　　④ 바쁘군요

6. 다음 밑줄 친 부분과 바꿔 쓸 수 있는 것을 고르십시오.

> 어느 <u>방향</u>이 북쪽이에요?

　① 쪽　　　　② 행　　　　③ 길　　　　④ 역

답장

명 [답짱]

a reply
回信
返事

편지를 읽고 바로 **답장**을 썼습니다.

– 에게 답장을 하다
– 에게 답장을 쓰다

동 답장하다
관 답장을 쓰다, 답장을 보내다, 답장을 받다, 답장이 오다

배달

명 [배ː달]

delivery
递送
配達

우체부 아저씨가 편지를 **배달**해 주십니다.

– 을/를 배달하다
– 이/가 배달되다

동 배달하다, 배달되다
관 신문 배달, 우유 배달

보내다

동 [보내다]

to send
发、送
送る

저는 부모님께 편지를 자주 **보내요**.

– 에게 – 을/를 보내다

유 부치다 ⇨ p.344
반 받다 ⇨ p.199

Transportation/
Communication

11

봉투

명 [봉투]

an envelope
信封
封筒、袋

편지 **봉투**에 주소를 쓰고 우표를 붙이세요.

참 편지 봉투, 돈 봉투, 우편 봉투, 서류 봉투

부치다

동 [부치다]

to send
寄
送付する

편지를 **부치러** 우체국에 갑니다.

– 에게 – 을/를 부치다

유 보내다 ⇨ p.343

'붙이다'와 발음이 같으니까 조심하세요.

소식

명 [소식]

news
消息
消息、便り、知らせ

좋은 **소식**을 들으니까 기분이 좋네요.

관 소식을 듣다, 소식을 알리다, 소식을 전하다
참 좋은 소식, 나쁜 소식

소포

명 [소:포]

a parcel
包裹
小包

친구 선물을 **소포**로 부쳤어요.

참 소포를 받다, 소포를 보내다, 소포를 부치다

올림
명 [올림]

yours truly
呈上
拝 差し上げますの意

어른에게 편지 쓸 때는 '○○ **올림**'이라고 써요.

동 올리다 　 유 드림

우편
명 [우편]

postal service
邮件
郵便

미국에 있는 친구가 선물을 **우편**으로 보냈어요.

참 우편물, 우편엽서, 전자 우편

우표
명 [우표]

a stamp
邮票
切手

편지를 썼는데 **우표**가 없어서 못 보냈어요.

참 우표 수집 　 관 우표를 붙이다

전하다
동 [전하다]

to pass something on
转达
伝える、わたす

안나 씨에게 이 편지를 **전해** 주세요.

– 에게 – 을/를 전하다

편지
명 [편:지]

a letter
信
手紙

일본에 있는 친구에게 **편지**를 받았어요.

동 편지하다 　 관 편지를 보내다, 편지를 받다, 편지를 쓰다, 편지를 부치다

가깝다

형 [가깝따]
불 'ㅂ'불규칙
⇨ Appendix p.482

to be close
近
近い

우리 집은 학교에서 **가까워요**.

- 이/가 - 에서 가깝다
- 이/가 - 와/과 가깝다

반 멀다 ⇨ p.333

가운데

명 [가운데]

the middle
中间
中央、中

길 **가운데**에 큰 나무가 있어요.

거기

대 [거기]

there
那里
そこ

안나 : 우리 지난번에 간 그 식당에 갈까?
앤디 : 그래, **거기** 가자.

참 여기 ⇨ p.349, 저기 ⇨ p.351

건너

명 [건:너]

across, the opposite side
对面
(道などの) 反対側、向こう側

길 **건너**에 식당이 있어요.

관 건너다, 건너가다, 건너오다
참 건너편

교외
명 [교외/교웨]

the outskirts, the suburbs
郊外
郊外

가까운 **교외**로 나가서 좀 쉬고 오자.

그곳
대 [그곧]

that place
那个地方
そこ

저는 지난 여름에 유럽에 갔습니다. 올해도 다시 **그곳**에 가고 싶습니다.

유 거기 ⇨ p.346
참 이곳 ⇨ p.351
   저곳 ⇨ p.351

근처
명 [근:처]

near
附近
近所、近く

우리 집 **근처**에 가게가 많이 있어요.

유 주변, 주위 ⇨ p.352

뒤
명 [뒤:]

in back of, behind
后
後ろ

학교 **뒤**에 산이 있어요.

반 앞 ⇨ p.349
참 뒤쪽, 뒤편
   옆 ⇨ p.350
   아래 ⇨ p.349
   위 ⇨ p.350

맞은편

명 [마즌편]

the opposite side
対面
向かい側

우리 집은 병원 바로 **맞은편**에 있어요.

유 건너편

멀리

부 [멀:리]

far
远远地
遠く

멀리 가지 말고, 집 근처에서 놀아라.

동 멀다 ⇨ p.333
반 가까이

밑

명 [믿]

under, the lower part
底下
下

지갑이 책상 **밑**에 떨어져 있었어요.

반 위 ⇨ p.350
유 아래 ⇨ p.349

밖

명 [박]

the outside
外边
外

집에만 있지 말고, **밖**에 나가서 놉시다.

반 안 ⇨ p.349
💡 '안'과 '밖'을 같이 쓸 때는 '안팎'이라고 써요.

아래

명 [아래]

down, below
下面
下

아래로 좀 더 내려가면 사거리가 있어요.

반 위 ⇨ p.350
참 아래층

안

명 [안]

the inside
里边
中

추우니까 빨리 식당 **안**으로 들어가자.

반 밖 ⇨ p.348
유 속 ⇨ p.293
참 집 안, 건물 안

앞

명 [압]

the front
前
前

이따가 수업 끝나고 학교 정문 **앞**에서 보자.

반 뒤 ⇨ p.347
참 앞쪽, 뒤쪽

여기

대 [여기]

here
这里
ここ

아저씨, **여기**가 명동이에요?

유 이곳 ⇨ p.351
참 저기 ⇨ p.351
　거기 ⇨ p.346

Transportation/
Communication

11

여기저기

명 [여기저기]

here and there
到処
あちこち

여행을 다니면서 **여기저기** 많이 구경하고 싶어요.

유 이곳저곳

옆

명 [엽]

the side, beside, next to
旁边
横、となり

우리 회사 **옆**에 아주 예쁜 공원이 있어요.

참 옆쪽

위

명 [위]

above, the upper part, the top
上面
上

저 **위**쪽에 있는 식당으로 갈까요?

반 아래 ⇨ p.349
참 위층, 위쪽

위치

명 [위치]

a location
位置
位置

리에 : 그 회사 **위치**가 어디인지 아세요?
피터 : 글쎄요, 어디에 있는지 잘 모르겠어요.

– 이/가 – 에 위치하다
통 위치하다

이곳

대 [이곧]

this place
这里
ここ

이곳에서는 담배를 피우면 안 됩니다.

유 여기 ⇨ p.349
참 저곳 ⇨ p.351, 그곳 ⇨ p.347
💡 '이곳'은 말하는 사람과 가까운 곳, '그곳'은 듣는 사람과 가까운 곳, '저곳'은 말하는 사람과 듣는 사람 모두에게 먼 곳을 말해요.

저

관 [저]

that
那
あの

저 식당에는 항상 사람들이 많아요.

참 이 ⇨ p.309, 그 ⇨ p.302
저곳, 저기, 저사람, 저것, 저쪽

저곳

대 [저곧]

that place
那个地方
あそこ

저곳은 항상 교통이 복잡해요.

유 저기 ⇨ p.351
참 이곳 ⇨ p.351, 그곳 ⇨ p.347

저기

대 [저기]

over there
那里
あそこ

저기 강이 보이네요.

유 저곳 ⇨ p.351
참 거기 ⇨ p.346, 여기 ⇨ p.349

Transportation/
Communication

11

🏴
주위

🅟 [주위]

near, the neighborhood, the surroundings
周围
周圍

우리 집 **주위**는 깨끗하고 조용해요.

🈰 주변, 근처 ⇨ p.347
🈴 주위 환경

🏴
중심

🅟 [중심]

the center
中心
中心

저를 **중심**으로 오른쪽에 남학생, 왼쪽에 여학생이 앉으세요.

걸다

🗨️☑️🔊

동 [걸:다]
불 'ㄹ'불규칙
⇨ Appendix p.481

to make a call
打
かける

친구에게 전화를 **걸었는데**, 통화 중이었어요.

-을/를 걸다

관 전화를 걸다, 옷을 걸다

공중전화

🗨️🔊

명 [공중전화]

a payphone, a public phone
公用电话
公衆電話

학교 안에 **공중전화**가 있어요.

누르다

🗨️

동 [누:르다]
불 '르'불규칙
⇨ Appendix p.482

to press, to push
拨、按
押す

번호를 잘못 **눌러서** 다른 곳에 전화했어요.

-을/를 누르다

관 번호를 누르다, 초인종을 누르다

메시지

🗨️

명 [메시지]

a message
信息、留言
メッセージ

전화를 안 받으면 음성 **메시지**를 남기세요.

관 메시지를 받다, 메시지를 보내다, 메시지를 남기다
참 음성 메시지, 문자 메시지

Transportation/Communication

11

번호

명 [번호]

a number
号码
番号

비밀**번호**를 알아야 음성 메시지를 들을 수 있어요.

참 비밀번호, 전화번호

소리

명 [소리]

(a) sound, a voice
声音
音、声

갑자기 큰 **소리**가 나서 깜짝 놀랐어요.

관 소리가 나다, 소리를 내다, 소리가 들리다
참 목소리, 음악 소리

알리다

동 [알리다]

to tell (someone), to let (someone) know
告诉
知らせる

이 기쁜 소식을 먼저 부모님께 **알리고** 싶습니다.

- 을/를 - 에게 알리다

여보세요

감 [여보세요]

hello
喂！
もしもし

여보세요, 거기 김 선생님 댁이지요?

연락

명 [열락]

contact
联系
連絡

일이 있으면 아무 때나 **연락** 주세요.

- 에게 연락하다
동 연락하다

전화

명 [전화]

a phone, a call
电话
電話

주말마다 부모님께 전화를 합니다.

– 에게 전화하다

동 전화하다
참 집 전화, 휴대 전화, 공중전화, 국제 전화

통화

명 [통화]

a telephone conversation
通话
通話

리에 씨랑 통화하고 싶은데요.

동 통화하다
참 통화 중

팩스

명 [팩스]

a fax
传真
ファクス

자료를 팩스로 보내 주세요.

관 팩스를 보내다, 팩스를 받다
참 팩시밀리, 팩스 번호

휴대폰

명 [휴대폰]

a cell phone
手机
携帯電話

집 전화가 고장이 나서 휴대폰으로 전화했어요.

유 휴대 전화
참 휴대폰 번호
💡 한국 사람들은 '핸드폰'이라고 많이 말해요.

Transportation/
Communication

11

✎ 다음 _____ 에 들어갈 알맞은 단어를 고르십시오.

1.

> 편지를 받았지만 바빠서 _____을/를 쓰지 못했어요.

① 대답   ② 봉투   ③ 배달   ④ 답장

✎ 다음 밑줄 친 단어와 바꿔 쓸 수 있는 말을 고르십시오.

2.

> 고향에 소포를 <u>보낸 지</u> 5일 만에 도착했어요.

① 쓴 지   ② 부친 지   ③ 만든 지   ④ 싼 지

✎ 다음 중 어울리는 것끼리 연결하십시오.

3. 전화를   •   • ① 보내다

4. 우표를   •   • ② 붙이다

5. 팩스를   •   • ③ 걸다

✎ 다음 질문에 답하십시오.

6. 다음 중 관계가 <u>다른</u> 하나를 고르십시오.

     ① 안 – 밖   ② 위 – 아래   ③ 앞 – 뒤   ④ 옆 – 밑

7. 다음 대화의 밑줄 친 부분이 무엇을 묻는 것인지 고르십시오.

> 가 그 회사가 <u>어디에 있는지</u> 알아요?
> 나 글쎄요, 잘 모르겠는데요.

     ① 위치   ② 전화번호   ③ 이름   ④ 주위

▶ track **46**

갈아타다

동 [가라타다]

to transfer
转 (车)、换乘
乗り換える

버스를 타고 가다가 지하철로 **갈아타야** 해요.

– 을/를 – (으)로 갈아타다
– 에서 – (으)로 갈아타다

걸리다

동 [걸리다]

to take
需要
(時間が) かかる

학교에서 집까지 버스로 30분 정도 **걸려요**.

– 이/가 걸리다

💡 '돈'에 대해서는 이 단어를 쓰지 않아요.
돈이 걸리다 (X), 돈이 들다 (O)
시간이 걸리다 (O), 시간이 들다 (X)

고속도로

명 [고속또로]

an expressway, a highway
高速公路
高速道路

서울에서 부산까지 **고속도로**로 가면 4시간쯤 걸려요.

교통

명 [교통]

traffic
交通
交通

서울은 **교통**이 좀 복잡해요.

곽 교통이 복잡하다, 교통이 편하다/불편하다
참 교통 신호, 교통사고, 교통 안내, 교통 방송

Transportation/
Communication

11

357

기차

명 [기차]

a train
火车
汽車 ディーゼルカーも含む

서울역에서 **기차**를 타고 부산에 갔어요.

관 기차를 타다, 기차에서 | 내리다
참 기차표, 기차역

내리다

동 [내리다]

to get off, to take off
下
降りる

버스에서 **내려서** 10분 정도 걸어오세요.

– 에서 내리다
– 이/가 내리다

반 타다 ⇨ p.367
관 비가 내리다, 눈이 내리다

노약자석

명 [노:약짜석]

seats reserved for the elderly and the weak
老弱病残孕专座
優先席

젊은 사람들은 **노약자석**에 앉으면 안 돼요.

놓치다

동 [녿치다]

to miss
错过
逃す、乗り遅れる

공항에 늦게 도착해서 비행기를 **놓쳤어요.**

– 을/를 놓치다
관 기차를 놓치다, 비행기를 놓치다, 기회를 놓치다

느리다

형 [느리다]

to be slow
慢
遅い

기차는 비행기보다 **느려요**.

– 이/가 느리다

반 빠르다 ⇨ p.361

다음

명 [다음]

next
下、其次
次

다음 역은 어디예요?

참 다음 해, 다음 역, 다음 시간, 다음 번

돌아가다

동 [도라가다]

to go back, to go around (a place)
回去
帰っていく、戻っていく

집에 **돌아갈** 때는 택시를 타려고 해요.

고속도로가 막혀서 국도로 **돌아갔어요**.

– 이/가 돌아가다
– (으)로 돌아가다

반 돌아오다 ⇨ p.333

Transportation/
Communication

11

막히다

동 [마키다]

to be blocked
堵
混雑する、(道が) 込む

길이 **막혀서** 회사에 늦었어요.

– 이/가 막히다

관 길이 막히다, 코가 막히다

멈추다

🚩 동 [멈추다]

to stop
停止
止まる、停止する、立ち止まる

차가 멈춘 다음에 내리세요.

– 이/가 멈추다

관 차가 멈추다, 시계가 멈추다

배

🚩🔊 명 [배]

a boat, a ship
船
船

한강에 가서 배를 탈까요?

관 배를 타다, 배가 떠나다, 배가 도착하다

버스

🚩☑🔊 명 [버스]

a bus
公共汽车
バス

버스보다 지하철이 더 빨라요?

관 버스를 타다, 버스에서 내리다
참 고속버스, 관광버스, 마을버스, 버스 전용 차선

복잡하다

🚩☑🔊 형 [복짜파다]

to be crowded, to be complicated
拥挤
複雑だ、混雑している

명동은 항상 사람들로 복잡해요.

– 이/가 복잡하다
– 이/가 – (으)로 복잡하다

반 한산하다(장소) ⇨ p.368, 간단하다(일, 방법) ⇨ p.197

불편하다

형 [불편하다]

to be inconvenient, to be uncomfortable
不舒服
不便だ、楽でない

버스 의자가 너무 작아서 앉기에 **불편해요**.

- 이/가 불편하다
- 이/가 - 기에 불편하다

반 편하다 ⇨ p.411, 편안하다 ⇨ p.31, 편리하다 ⇨ p.367

비행기

명 [비행기]

an airplane
飞机
飛行機

비행기를 타러 공항에 가요.

관 비행기를 타다, 비행기에서 내리다
참 비행기 표, 비행기 좌석

빠르다

형 [빠르다]
불 '르'불규칙
⇨ Appendix p.482

to be fast
快
速い

비행기가 기차보다 **빨라서** 더 편해요.

- 이/가 빠르다

반 느리다 ⇨ p.359

사고

명 [사:고]

an accident
事故
事故

교통 **사고**가 난 것 같아요. 길이 막히네요.

관 사고가 나다, 사고를 당하다
참 교통 사고, 차 사고, 비행기 사고

서다

🗩☑⦿

동 [서다]

to come to a stop
停
止まる

갑자기 버스가 **서서** 놀랐어요.

- 이/가 서다

유 멈추다 ⇨ p.360

세우다

🗩☑

동 [세우다]

to stop
停
止める

저기 횡단보도를 지나서 **세워** 주세요.

- 을/를 세우다

관 차를 세우다

신호

🗩

명 [신:호]

a signal
信号
信号

운전할 때 교통 **신호**를 잘 지키세요.

동 신호하다
관 신호를 지키다
참 신호등

요금

명 [요:금]

a fare, a charge
(车) 费、费用
料金

택시 **요금**이 얼마 나왔어요?

관 요금을 내다
참 택시 요금, 전화 요금, 버스 요금, 전기 요금

-요금	-비	-금	-료
버스 요금	교통비	등록금	수수료
택시 요금	차비	장학금	통행료
전기 요금	식비	세금	사용료
전화 요금	하숙비	계약금	입장료

운전

명 [운:전]

driving
驾驶
運転

저는 자동차를 **운전**한 지 3년 됐어요.

-을/를 운전하다
동 운전하다
참 자동차 운전, 버스 운전, 운전 면허증, 음주 운전

위험하다

형 [위험하다]

to be dangerous
危险
危険だ、あぶない

비가 오는 날에는 빨리 운전하면 **위험해요**.

-이/가 위험하다
반 안전하다

이용

명 [이용]

use
利用
利用

교통이 복잡한 날에는 대중교통을 **이용**합시다.

- 을/를 이용하다

동 이용하다

자가용

명 [자가용]

a car, a private car
私家车
自家用車

저는 **자가용**을 타고 회사에 갑니다.

동 자가용을 타다, 자가용에서 내리다, 자가용을 이용하다

자동차

명 [자동차]

an automobile
汽车
自動車

길이 좁아서 **자동차**로 갈 수 없어요.

동 자동차를 타다, 자동차에서 내리다, 자동차를 이용하다

자전거

명 [자전거]

a bicycle
自行车
自転車

저는 어렸을 때 **자전거**를 타고 학교에 다녔어요.

관 자전거를 타다
참 두발 자전거, 세발 자전거, 자전거 전용 도로

잡다

동 [잡따]

to catch, to hold
打(车)、把握、抓
(タクシーを) 拾う、つかむ

출근 시간에는 택시를 **잡기**가 너무 힘들어요.

버스를 타면 손잡이를 꼭 **잡으세요**.

– 을/를 잡다

좌석

명 [좌:석]

a seat
座位
座席、席

버스에 빈 **좌석**이 없어서 서서 갔어요.

관 좌석에 앉다, 좌석에서 일어나다
참 좌석표

주차

명 [주:차]

parking
停车
駐車

주차장에 차를 **주차**했어요.

– 에 주차하다

동 주차하다
참 주차장, 주차 금지, 주차 문제, 불법 주차

지하철

명 [지하철]

a subway
地铁
地下鉄

길이 복잡한 시간에는 **지하철**을 타세요.

동 지하철을 타다, 지하철에서 내리다, 지하철을 이용하다
참 지하철역, 지하철 1호선, 지하철 입구, 지하철 출구

Transportation/
Communication

11

직행

📢

명 [지캥]

nonstop, going straight
直达
直行

이 비행기는 서울에서 뉴욕까지 **직행**입니다.

통 직행하다
참 직행 버스

차

📢☑️😊

명 [차]

a car
车
車

차가 고장 나서 늦었어요.

관 차를 타다, 차에서 내리다

차비

📢

명 [차비]

carfare, charges
车费
車代、交通費

차를 타기 전에 미리 **차비**를 준비해 두세요.

관 차비를 내다

천천히

📢☑️😊

부 [천천:히]

slowly
慢慢地
ゆっくり

뛰지 말고 **천천히** 걷자.

반 빨리 ⇨ p.269

타다

동 [타다]

to take, to ride, to get on
乘坐
乗る

지하철을 **타고** 갈까요?

-을/를 타다

반 내리다 ⇨ p.358

택시

명 [택시]

a taxi
出租车
タクシー

서울에서는 어디서든지 **택시**를 잡을 수 있어요.

관 택시를 타다, 택시를 잡다
참 개인 택시, 모범 택시

편도

명 [편도]

one way
单程
片道

서울에서 부산까지 비행기 **편도** 요금이 얼마입니까?

참 편도 요금, 편도 승차권
반 왕복 ⇨ p.213

편리하다

형 [펼리하다]

to be convenient
方便
便利だ

출퇴근하기에는 지하철이 **편리해요**.

-이/가 편리하다
-기에 편리하다
반 불편하다 ⇨ p.361

Transportation/
Communication

11

367

한산하다

형 [한산하다]

not to be crowded
冷清
閑散としている、人通りが少ない

날이 추우니까 거리가 **한산해요**.

– 이/가 한산하다

반 복잡하다 ⇨ p.360

항공

명 [항:공]

flight, airline
航空
航空

여기에서 오사카까지 가는 **항공** 편이 있어요?

참 항공사, 항공기

호선

명 [호선]

line
线
線

지하철 **4호선**은 파란색이에요.

참 지하철 1호선

✎ 다음 그림에 알맞은 단어를 연결하십시오.

1.　　　2.　　　3.　　　4.　　　5.

· · · · ·

· · · · ·

① 지하철　② 자동차　③ 자전거　④ 버스　⑤ 비행기

✎ 다음 질문에 답하십시오.

6. 다음 중 관계가 <u>다른</u> 하나는 무엇입니까?

① 빠르다 - 느리다　　　② 불편하다 - 편하다
③ 잡다 - 놓치다　　　　④ 세우다 - 주차하다

7. ㉠과 ㉡에 들어갈 알맞은 말을 고르십시오.

> 가 저 앞에서 사고가 났나 봐요. 길이 많이 _____㉠_____.
> 나 그래요? 그럼 다른 길로 _____㉡_____?
> 가 그래야겠어요.

① ㉠ 막혀요 ㉡ 돌아갈까요　　② ㉠ 밀려요 ㉡ 돌아갈까요
③ ㉠ 막혀요 ㉡ 올까요　　　④ ㉠ 밀려요 ㉡ 올까요

✎ 다음 ____에 공통으로 들어갈 말을 고르십시오.

8.
> 차에서 _____,　　겨울에 눈이 _____

① 오다　　② 내리다　　③ 가다　　④ 나다

9.
> 시간이 오래 _____,　　감기에 _____

① 나다　　② 내리다　　③ 걸리다　　④ 세우다

10.
> 택시를 _____,　　계획을 _____

① 타다　　② 짜다　　③ 오다　　④ 세우다

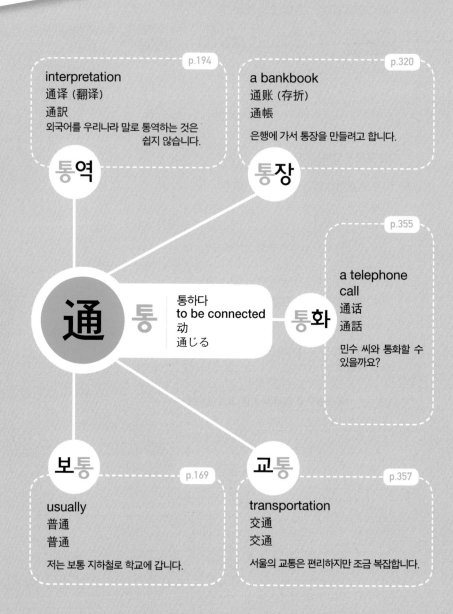

12

장소

Places

Korean through Chinese Characters

건물
명 [건:물]

a building
建筑
建物

식당은 이 **건물** 2층에 있어요.

계단
명 [계단/게단]

stairs
楼梯
階段

엘리베이터가 고장 나서 **계단**으로 올라갔어요.

관 계단을 내려가다, 계단을 올라가다

교회
명 [교:회/교:훼]

a church
教会
教会

저는 일요일마다 **교회**에 가요.

낮다
형 [낟따]

to be low
低
低い

저 산은 **낮지만** 올라가기 힘든 산이에요.

–이/가 낮다

반 높다 ⇨ p.373

내려가다

동 [내려가다]

to go down
下去
下りる

2층에서 1층으로 **내려갈** 때는 계단을 이용하세요.

- (으)로 내려가다

반 올라가다 ⇨ p.340
참 내려오다 ⇨ p.340

높다

형 [놉따]

to be high
高
高い

서울에는 **높은** 빌딩이 아주 많아요.

- 이/가 높다

반 낮다 ⇨ p.372

대사관

명 [대:사관]

an embassy
大使馆
大使館

비자를 받으려면 **대사관**에 가야 돼요.

박물관

명 [방물관]

a museum
博物馆
博物館

김치 **박물관**에 가면 여러 가지 김치를 먹어 볼 수 있어요.

Places

12

병원

명 [병:원]

a hospital
医院
病院

감기가 너무 심한 것 같은데, **병원**에 가 보세요.

관 병원에 가다, 병원에 입원하다/퇴원하다
참 종합 병원, 대학 병원

빌딩

명 [빌딩]

a building
大厦
ビルディング

이 **빌딩** 5층에 우리 사무실이 있어요.

참 63빌딩
유 건물

소방서

명 [소방서]

a fire station
消防队
消防署

불이 나면 **소방서**에 전화하세요.

참 소방관, 소방 훈련

실내

명 [실래]

the interior of a room, indoors
室内
室内

실내에서는 모자를 벗으세요.

반 실외
참 실내 수영장, 실내 온도, 실내화

374

아파트
명 [아파트]

an apartment
公寓
マンション

서울에는 **아파트**가 참 많아요.

예식장
명 [예식짱]

a wedding hall
喜堂
結婚式場

신랑, 신부가 **예식장**에 들어오고 있어요.

유 결혼식장

우체국
명 [우체국]

a post office
邮局
郵便局

외국으로 편지를 보내고 싶은데, **우체국**이 어디에 있지요?

절
명 [절]

a (buddhist) temple
寺庙
寺

한국에는 아름다운 **절**이 많습니다.

출입
명 [추립]

entrance and exit
出入
立入

그곳은 위험한 곳이라서 **출입** 금지예요.

동 출입하다
참 출입구, 출입문, 출입 금지, 출입국관리사무소

Places

12

학원

명 [하권]

an academy, an institute
补习班
私設学校

저는 요리를 배우러 요리 **학원**에 다녀요.

관 학원에 다니다
참 영어 학원, 요리 학원

헬스클럽

명 [헬스클럽]

a health club, a fitness club
健身房
フィットネスクラブ、ジム

저는 **헬스클럽**에서 운동해요.

호

명 [호:]

a room number
号、室
〜号、〜号室

한국어 수업은 122**호**에서 해요.

참 11월 호 잡지, 제7권 제2호, 101호 강의실

호텔

명 [호텔]

a hotel
饭店
ホテル

싸고 좋은 **호텔**을 좀 알려 주세요.

회사

명 [회:사/훼:사]

a company
公司
会社

아침 8시까지 **회사**에 출근해야 해요.

관 회사에 다니다, 회사에 출근하다, 회사에서 퇴근하다
참 회사원, 무역 회사

휴게실

명 [휴게실]

a lounge, a room for rest
休息室
休憩室

잠깐 **휴게실**에 가서 커피를 한 잔 하자.

'휴계실'은 틀린 맞춤법이에요.

Places

12

377

거리

명 [거리]

a street
街
通り、街

밤이 되면 **거리**에 사람들이 별로 없어요.

관 거리를 걷다
참 길거리, 사거리, 삼거리

골목

명 [골:목]

a back street, an alley
胡同
裏通り、路地

우리 집 앞 **골목**에서는 언제나 아이들이 놀고 있어요.

참 먹자 골목, 골목길

곳

명 [곧]

a place
地方
場所、所

저는 조용한 **곳**에서 살고 싶어요.

유 장소 ⇨ p.387
데 ⇨ p.379

공사

명 [공사]

construction
施工
工事

공사 중에 불편을 드려서 죄송합니다.

동 공사하다
참 아파트 공사, 지하철 공사, 공사 중

그늘

명 [그늘]

shade
阴凉地
陰、日陰

나무 **그늘** 아래에서 잠깐 쉬었다 가자.

다리

명 [다리]

a bridge
桥
橋

한강에 **다리**가 몇 개인지 알아요?

관 다리를 건너다

💡 '다리'는 '사람의 다리'라는 의미도 있고, '건너 가는 다리'의 의미도 있어요.

데

명 [데]

a place
地方
所

지금 가는 **데**가 어디예요?

유 곳 ⇨ p.378
　 장소 ⇨ p.387

인도

명 [인도]

a sidewalk
人行道
歩道

차는 차도로, 사람은 **인도**로 다녀야 해요.

반 차도

✏️ **다음 중 의미가 같은 것끼리 연결하십시오.**

1. 휴게실   •　　　• ① 결혼식을 하는 곳

2. 헬스클럽   •　　　• ② 편지나 소포를 부치는 곳

3. 예식장   •　　　• ③ 운동을 할 수 있는 곳

4. 우체국   •　　　• ④ 쉴 수 있는 곳

5. 병원   •　　　• ⑤ 몸이 아프거나 다쳤을 때 가는 곳

✏️ **다음 질문에 답하십시오.**

6. 다음 밑줄 친 단어 ㉠, ㉡과 같은 의미로 연결된 것을 고르십시오.

> 가 이 ㉠빌딩이 한국어 학원이 있는 빌딩이에요?
> 나 네, 제가 공부하는 ㉡데가 바로 여기예요.

① ㉠ 건물 ㉡ 곳　　　　　　② ㉠ 회사 ㉡ 곳
③ ㉠ 건물 ㉡ 절　　　　　　④ ㉠ 회사 ㉡ 절

7. 다음 중 관계가 <u>다른</u> 하나를 고르십시오.

① 높다 – 낮다　　　　　　② 실내 – 실외
③ 대사관 – 박물관　　　　④ 인도 – 차도

8. 다음 (　　　)에 들어갈 알맞은 단어를 고르십시오.

> 제 사무실은 이 빌딩 5층 502(　　　)입니다.

① 반　　　　② 호　　　　③ 번　　　　④ 동

경주

명 [경:주]
⇨ Appendix p.479

Gyeongju
庆州
慶州

불국사를 구경하러 **경주**에 갔어요.

광주

명 [광주]
⇨ Appendix p.479

Gwangju
光州
光州

제 고향은 전라남도 **광주**예요.

대구

명 [대구]
⇨ Appendix p.479

Daegu
大邱
大邱

대구는 사과가 맛있는 곳으로 유명해요.

대전

명 [대전]
⇨ Appendix p.479

Daejeon
大田
大田

이 기차는 **대전**으로 가는 기차입니다.

도시

명 [도시]

a city
城市
都市、都会

서울은 정말 아름다운 **도시**예요.

반 시골 ⇨ p.386   첨 도시 생활

Places

12

부산

명 [부산]
⇨ Appendix p.479

Busan
釜山
釜山

한국에서 제일 큰 도시는 서울이고, 두 번째는 **부산**이에요.

서울

명 [서울]
⇨ Appendix p.479

Seoul
首尔
ソウル

서울은 한국의 수도입니다.

참 서울시청, 서울역 광장

속초

명 [속초]
⇨ Appendix p.479

Sokcho
束草
束草

이번 여름에는 유명한 해수욕장이 많은 **속초**에 가서 쉬세요.

안동

명 [안동]
⇨ Appendix p.479

Andong
安东
安東

이번 방학에는 **안동**으로 여행을 가고 싶습니다.

이천

명 [이천]
⇨ Appendix p.479

Icheon
利川
利川

경기도 **이천**은 맛있는 쌀로 유명해요.

인천

명 [인천]
⇨ Appendix p.479

Incheon
仁川
仁川

인천에는 인천 국제 공항이 있어요.

전주

명 [전주]
⇨ Appendix p.479

Jeonju
全州
全州

안나 : **전주**는 무엇으로 유명해요?

리에 : 비빔밥이 가장 유명해요

지방

명 [지방]

the provinces, a district
地方
地方

서울은 집 값이 비싸지만 **지방**은 그렇지 않아요.

춘천

명 [춘천]
⇨ Appendix p.479

Chuncheon
春川
春川

춘천에는 드라마 '겨울연가'의 촬영 장소가 있어요.

Places

12

고향
명 [고향]

one's hometown
故乡、老家
故郷

설날이나 추석에는 **고향**에 가는 사람들이 아주 많아요.

공원
명 [공원]

a park
公园
公園

공원에 가서 산책을 하자.

다방
명 [다방]

a tea and coffee shop
茶馆
喫茶店

커피숍을 옛날에는 **다방**이라고 했어요.

💡 요즘은 '다방'이라는 말을 잘 안 써요.

댁
명 [댁]

a house (honorific form)
宅、家
お宅

선생님 **댁**은 어디세요?

🔁 집 ⇨ p.420

동

명 [동]

a block, a dong
洞
洞 市や区の下に置かれる行政単位

저는 혜화**동**에 살아요.

참 동사무소

동네

명 [동:네]

the neighborhood, a village
社区、村落
町内、近所

우리 **동네**에는 음식점이 많이 있어요.

유 마을 ⇨ p.385
참 동네 사람

마을

명 [마을]

a village
村
村、(小さい)町

우리는 어렸을 때부터 한 **마을**에서 살았어요.

유 동네 ⇨ p.385
참 마을버스
💡 주로 시골에서 사용해요.

매점

명 [매:점]

a snack store
小卖部
売店

매점에 가서 빵하고 우유 좀 사 오세요.

참 학교 매점, 지하철 매점

Places

12

문구점

명 [문구점]

a stationery store
文具店
文房具屋

이 근처에 가까운 **문구점**이 어디에 있어요?

유 문방구

분식집

명 [분식찝]

a snack bar
小吃店
軽食店

분식집에서 김밥과 라면을 사 먹었어요.

서점

명 [서점]

a bookstore
书店
書店、本屋

서점에 가서 책을 샀어요.

유 책방 ⇨ p.387

시골

명 [시골]

the country, a country side
乡下
田舎

시끄럽고 바쁜 도시보다 조용하고 한가한 **시골**이 더 좋아요.

반 도시 ⇨ p.381

장소

명 [장소]

a place
場所
場所

약속 장소가 어디인지 잊어버렸어요.

유 곳 ⇨ p.378
　데 ⇨ p.379
관 장소를 정하다
첨 약속 장소, 회의 장소

주유소

명 [주:유소]

a gas station
加油站
ガソリンスタンド

주유소에서 기름을 넣고 갑시다.

책방

명 [책빵]

a bookstore
书店
(小規模の) 書店、本屋

근처에 **책방**이 없어서 책을 사려면 멀리 가야 해요.

유 서점 ⇨ p.386

카페

명 [카페]

a cafe
咖啡厅
カフェー　コーヒーや酒などを出す店

분위기 좋은 **카페**에 가서 커피 한 잔 합시다.

유 커피숍

편의점

명 [펴늬점/펴니점]

a convenience store
便利店
コンビニエンスストア

한국에는 24시간 문을 여는 **편의점**이 많아서
밤에도 물건을 살 수 있어요.

하숙

명 [하:숙]

a boarding house
寄宿
下宿

저는 조용히 지낼 수 있는 **하숙**을 찾고 있어요.

동 하숙하다
참 하숙집, 하숙 생활, 하숙비, 하숙생

PC방

명 [피씨방]

an internet cafe
网吧
インターネットカフェ

주말에는 **PC방**에서 게임을 하는 사람들이 많아요.

제 컴퓨터가 고장나서 **PC방**에 가서 숙제를 했어요.

track 51

경복궁

명 [경ː복꿍]
⇨ Appendix p.480

Gyeongbokgung (Palace)
景福宮
景福宮

경복궁은 조선 시대에 지은 건물이에요.

고속 터미널

명 [고속터미널]

Express bus terminal
长途汽车站
高速バスターミナル

고속버스를 타려면 **고속 터미널**로 가세요.

관악산

명 [과낙싼]

Mt. Gwanak
冠岳山
冠岳山

이번 주말에 **관악산**으로 등산 가자.

교대

명 [교ː대]

Seoul National University of Education
教大　韩国教育大学的简称
ソウル教育大学

지하철 2, 3호선 **교대**역 근처에 서울교육대학교가 있어요.

대학로

명 [대ː항노]
⇨ Appendix p.480

Daehangno
大学路
大学路

대학로에 가면 소극장들이 많이 있어요.

덕수궁

🏳 명 [덕쑤궁]

🔸 Appendix p.480

Deoksugung (Palace)
德寿宫
德寿宮

덕수궁은 시청 옆에 있는 궁이에요.

동대문

🏳 명 [동대문]

🔸 Appendix p.480

Dongdaemun
东大门
東大門

쇼핑을 하러 **동대문** 시장에 갔어요.

참 동대문 역, 동대문 시장

명동

🏳 명 [명동]

🔸 Appendix p.480

Myeongdong
明洞
明洞

명동은 패션의 거리로 유명해요.

시내

🏳☑ 명 [시:내]

the city, downtown
市内、城里
市内

우리 회사는 **시내**에 있지만 아주 조용합니다.

반 시외

시청

🏳☑ 명 [시:청]

🔸 Appendix p.480

City Hall
市政府
市役所

지하철 1, 2호선을 타고 시청 역에서 내리면 서울 **시청**이 있어요.

신촌

명 [신촌]
⇨ Appendix p.480

Sinchon
新村
新村

신촌 근처에는 여러 대학교가 있어요.

압구정

명 [압꾸정]
⇨ Appendix p.480

Apgujeong
狎鸥亭
狎鸥亭

압구정동은 젊은 사람들이 많이 가는 곳이에요.

여의도

명 [여의도/여이도]
⇨ Appendix p.480

Yeouido
汝矣岛
汝矣島

여의도에는 63빌딩이 있어요.

을지로

명 [을찌로]
⇨ Appendix p.480

Euljiro
乙支路
乙支路

을지로는 항상 교통이 복잡해요.

이태원

명 [이태원]
⇨ Appendix p.480

Itaewon
梨泰院
梨泰院

이태원에는 외국 사람이 많아서 외국 같아요.

Places

12

인사동

명 [인사동]
⇨ Appendix p.480

Insadong
仁寺洞
仁寺洞

인사동에는 한국 전통 음식점들이 많아요.

잠실

명 [잠실]
⇨ Appendix p.480

Jamsil
蚕室
蚕室

롯데월드 놀이공원은 **잠실**에 있어요.

종로

명 [종노]
⇨ Appendix p.480

Jongno
钟路
鍾路

종로에는 외국어 학원이 많이 있어요.

한강

명 [한:강]
⇨ Appendix p.480

Hangang (River)
汉江
漢江

한강에서 유람선을 타 본 적이 있어요?

✎ **다음 중 의미가 같은 것끼리 연결하십시오.**

1. PC방 •　　　• ① 돈을 내고 컴퓨터를 사용하는 곳

2. 분식집 •　　　• ② 연필이나 공책 같은 것을 파는 곳

3. 문구점 •　　　• ③ 차에 기름을 넣는 곳

4. 주유소 •　　　• ④ 라면이나 김밥 등을 파는 곳

✎ **다음 질문에 답하십시오.**

5. 다음 문장의 밑줄 친 단어와 바꿔 쓸 수 있는 것을 고르십시오.

> 우리 ㉠마을에는 ㉡서점이 많아요.

① ㉠동네 ㉡카페　　　　② ㉠동네 ㉡책방

③ ㉠고향 ㉡카페　　　　④ ㉠고향 ㉡책방

6. 다음 중 <u>반대</u> 의미로 연결된 것을 고르십시오.

① 도시 – 시골　　　　② 도시 – 서울

③ 서울 – 시내　　　　④ 고향 – 시골

Places

12

✐ **Let's look at how Korean words
are related to Chinese Characters.**

p.387

a place
场所
場所

약속 장소를 바꾸고 싶은데요.

장소

p.439

a theater
剧场 (电影院)
映画館

어느 극장에 가서 영화를 볼까요?

극장

p.308

a market
市场
市場

백화점보다 시장 물건이
더 싸지요?

시장

場 장

장소
a place
场
場所

p.193

a work place
工作单位
職場

준이치 씨는 아침 9시까지
직장에 출근합니다.

직장

정류장

p.336

a stop
车站
停留場

버스 정류장에서 친구를 기다렸습니다.

예식장

p.375

a wedding hall
喜堂
結婚式場

우리 언니는 다음 주 토요일 오후 3시에
행복 예식장에서 결혼을 합니다.

13

집/자연

House/Nature

Korean through Chinese Characters

동식물

Animals and Plants · 动植物 · 動植物

track 52

강아지

명 [강아지]

a puppy
小狗
子犬

우리 집 개가 어제 **강아지** 세 마리를 낳았어요.

💡 개의 새끼를 '강아지'라고 해요.

개

명 [개:]

⇨ Appendix p.471

a dog
狗
犬

저는 **개**를 아주 좋아해서 3마리나 길러요.

고양이

명 [고양이]

a cat
猫
猫

저는 강아지보다 **고양이**가 더 좋아요.

곰

명 [곰:]

a bear
熊
熊

그 사람은 행동이 너무 느려서 **곰** 같아요.

참 곰인형

기르다

동 [기르다]
불 '르'불규칙
⇨ Appendix p.482

to raise
养
育てる、飼う

우리 집에서는 새도 **기르고** 개도 **길러요**.

-을/를 기르다

관 꽃을 기르다, 머리를 기르다, 손톱을 기르다, 동물을 기르다

꽃

명 [꼳]

a flower
花
花

오늘이 리에 씨 생일이니까 **꽃**을 사 가지고 가자.

참 꽃다발, 꽃바구니, 꽃잎

나무

명 [나무]

a tree
树
木

식목일에 산에 가서 **나무**를 심었어요.

관 나무를 심다, 나무를 하다
참 나무꾼

동물

명 [동:물]

an animal
动物
動物

강아지나 고양이 같은 **동물**들이 아플 때는 **동물**
병원에 데려가요.

참 동물 병원, 동물원

House/Nature

13

말

명 [말]
⇨ Appendix p.471

a horse
马
馬

제주도에 가면 꼭 **말**을 타 보세요.

사자

명 [사자]
⇨ Appendix p.471

a lion
狮子
ライオン

사자를 '동물의 왕'이라고도 불러요.

새

명 [새:]

a bird
鸟
鳥

하늘에 **새** 한 마리가 날고 있어요.

소

명 [소]
⇨ Appendix p.471

a cow
牛
牛

열심히 일하는 사람을 **소** 같다고 말해요.

참 소고기, 소갈비

원숭이

명 [원:숭이]
⇨ Appendix p.471

a monkey
猴子
猿

동물원에 가서 **원숭이**에게 바나나를 주었어요.

잎

명 [입]

a leaf
叶子
葉

나뭇**잎**이 한 **잎** 두 **잎** 떨어져요.

참 꽃잎, 나뭇잎

장미

명 [장미]

a rose
玫瑰
バラ

5월에는 **장미**꽃이 활짝 핍니다.

쥐

명 [쥐]

⇨ Appendix p.471

a mouse
老鼠
ねずみ

쥐가 고양이를 보자마자 도망갔어요.

코끼리

명 [코끼리]

an elephant
大象
象

코끼리는 몸이 크고 코가 길어요.

토끼

명 [토끼]

⇨ Appendix p.471

a rabbit
兔子
うさぎ

토끼는 귀가 길어요.

House/Nature

13

피다

동 [피다]

to bloom
开
咲く

꽃이 활짝 **피어서** 정말 예뻐요.

-이/가 피다

호랑이

명 [호:랑이]

Appendix p.471

a tiger
老虎
トラ

우리 선생님은 무서워서 **호랑이** 선생님이라고
불러요.

가지

🔲
명 [가지]

a branch
树枝
枝

나뭇**가지**에서 잎이 모두 떨어졌어요.

참 나뭇가지

강

🔲☑️◐
명 [강]

a river
江、河
(大きな) 川

서울에 있는 큰 **강**의 이름은 한**강**이에요.

관 강을 건너다
참 한강

깊다

🔲☑️
형 [깁따]

to be deep
深
深い

한강은 **깊어서** 수영하기에 위험합니다.

- 이/가 깊다
반 얕다
참 생각이 깊다, 물이 깊다

낙엽

명 [나겹]

fallen leaves
落叶
落ち葉

가을에 **낙엽**을 밟으며 산책하는 것이 참 좋아요.

관 낙엽이 떨어지다

💡 떨어진 나뭇잎이 '낙엽'이에요.

날다

동 [날다]
불 'ㄹ'불규칙
⇨ Appendix p.481

to fly
飞
飛ぶ

새들이 하늘을 **날고** 있어요.

- 을/를 날다
- (으)로 날다

💡 날으다 (×), 날다 (○)
날으는 (×), 나는 (○)

바다

명 [바다]

the sea
大海
海

겨울에는 **바다**에서 수영할 수 없어요.

참 바닷가

자연

명 [자연]

nature
自然
自然

나무, 꽃, 강, 바다 등 **자연**을 보호해야 합니다.

참 자연 보호

하늘

명 [하늘]

the sky
天空
空、天

하늘에 구름이 없어서 아주 맑네요.

해

명 [해]

the sun, a year
日、年
日、年

오늘은 **해**가 몇시에 떴어요?

지난**해**보다 올**해** 겨울에 눈이 더 많이 왔어요.

참 지난해, 이번 해, 올해 ⇨ p.258
유 태양
관 해가 뜨다, 해가 지다

호수

명 [호수]

a lake
湖
湖

호수에 오리가 있어요.

참 호숫가

환경

명 [환경]

environment
环境
環境

주변 **환경**을 깨끗이 정리하세요.

관 환경이 좋다/나쁘다, 환경이 깨끗하다
참 주변 환경, 환경 보호, 환경 운동

House/Nature

13

✎ 다음 _____에 들어갈 알맞은 말을 〈보기〉에서 찾아 쓰십시오.

| 보기 | 호랑이 | 개 | 소 | 곰 |

1. 열심히 일하는 사람을 _____ 같다고 해요.

2. 행동이 아주 느린 사람을 _____ 같다고 해요.

3. 무서운 사람을 _____ 같다고 해요.

✎ 다음 _____에 공통으로 들어갈 수 있는 말을 고르십시오.

4.
> 강아지를 _____.
> 머리를 _____.
> 손톱을 _____.

① 키우다   ② 기르다   ③ 데리다   ④ 고치다

5.
> 한강이 _____.
> 그 사람은 생각이 _____.

① 크다   ② 넓다   ③ 깊다   ④ 무겁다

✎ 다음 _____에 들어갈 알맞은 말을 〈보기〉에서 찾아 쓰십시오.

| 보기 | 환경 | 자연 | 하늘 | 한강 |

6. 나무, 꽃, 강, 바다 등 _____을/를 보호해야 합니다.

7. 주변_____을/를 깨끗이 하세요.

가습기

📖

명 [가습끼]

a humidifier
加湿器
加湿器

방이 너무 건조하니까 **가습기**를 켭시다.

판 가습기를 켜다/끄다, 가습기를 틀다

가전제품

📖

명 [가전제품]

(electric) home appliances
家电产品
家電製品

냉장고나 세탁기, 텔레비전 같은 **가전제품**을 사야
해요.

고장

📖

명 [고:장]

not working, out of order
故障
故障

텔레비전이 **고장**이 나서 안 나와요.

판 고장이 나다

고치다

📖☑

동 [고치다]

to fix
修理
直す

고장 난 시계를 **고쳤어요**.

-을/를 고치다

유 수리하다

House/Nature

13

냉장고

명 [냉:장고]

a refrigerator
电冰箱
冷蔵庫

냉장고에 시원한 맥주가 있어요.

관 냉장고에 넣다, 냉장고에 두다, 냉장고에서 꺼내다
참 김치 냉장고

노트북

명 [노트북]

a notebook computer, a laptop
笔记本电脑
ノートパソコン

대학교 입학 선물로 **노트북**을 사 주세요.

다리미

명 [다리미]

an iron
熨斗
アイロン

옷을 **다리미**로 잘 다려 주세요.

관 다리미로 다리다
참 다림질 = 다리미질

드라이어

명 [드라이어]

a hair dryer
吹风机
ドライヤー

머리를 감은 후에 **드라이어**로 말려요.

관 드라이어로 말리다

라디오

명 [라디오]

a radio
收音机
ラジオ

운전할 때 **라디오**를 들으면 지루하지 않아요.

사용하다

동 [사용하다]

to use
使用
使う

제가 이 컴퓨터를 좀 **사용해도** 될까요?

-을/를 사용하다

유 쓰다 　　　　 참 사용 중

선풍기

명 [선풍기]

an electric fan
电风扇
扇風機

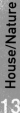

여름에는 더워서 **선풍기**가 꼭 필요해요.

관 선풍기를 켜다/끄다

신제품

명 [신제품]

a new product
新产品
新製品

신제품을 좀 보여 주세요.

에어컨

명 [에어컨]

an air conditioner
空调
クーラー

더우니까 **에어컨**을 좀 켭시다.

관 에어컨을 켜다/끄다

전기

명 [전:기]

electricity, electric
电
電気

전기 주전자는 물을 빨리 끓일 수 있어서 좋아요.

관 전기가 들어오다, 전기가 나가다 　　　 참 전기 주전자, 전기세, 전기 요금

House/Nature

13

전자

명 [전:자]

an electronic, electromagnetic
电子
電子

전자사전은 사용하기가 아주 편리합니다.

참 전자 제품, 전자사전, 선자레인지

전화기

명 [전:화기]

a phone
电话机
電話機

전화기에서 벨 소리가 울렸습니다.

관 전화기가 울리다

💡 요즘은 '전화기'를 그냥 '전화'라고 많이 말해요.

카세트

명 [카세트]

a cassette
录音机
カセット

음악을 듣고 싶어서 **카세트**를 틀었습니다.

참 카세트 테이프

텔레비전

명 [텔레비전]

a television
电视
テレビ

하루 종일 **텔레비전**만 봤어요.

유 TV

계시다

동 [계:시다]

to be (honorific form)
在(敬语)
いらっしゃる

교수님은 지금 댁에 **계실** 거예요.

－이/가 －에 계시다

낮 있다 ⇨ p.411

깨끗하다

형 [깨끄타다]

to be clean
干净
きれいだ、清潔だ

방을 청소해서 아주 **깨끗해요**.

－이/가 깨끗하다

반 더럽다 ⇨ p.410

넓다

형 [널따]

to be wide
宽敞
広い

왕위 씨 집의 거실은 정말 **넓어요**.

－이/가 넓다

낮 좁다 ⇨ p.411

놓이다

동 [노이다]

to be placed
放
置かれる

식탁 위에 수저가 **놓여** 있어요.

－이/가 －에 놓이다

House/Nature

13

409

더럽다

형 [더럽따]
불 'ㅂ'불규칙
⇨ Appendix p.483

to be dirty
脏
汚い

집 안이 너무 **더러우니까** 청소를 좀 해야겠어요.

－ 이/가 더럽다

반 깨끗하다 ⇨ p.409

살다

동 [살:다]
불 'ㄹ'불규칙
⇨ Appendix p.481

to live
生活、住
住む

저는 서울에 **살아요**.

－ 이/가 － 에 살다

시끄럽다

형 [시끄럽따]
불 'ㅂ'불규칙
⇨ Appendix p.482

to be noisy
嘈杂、吵
うるさい

안나 : 밖이 왜 이렇게 **시끄럽지**?
리에 : 아이들이 놀아서 그래.

－ 이/가 시끄럽다

반 조용하다 ⇨ p.411

없다

형 [업:따]

not to be, not to have, no
没有
ない、いない

방 안에는 아무도 **없습니다**.

－ 이/가 없다

반 있다 ⇨ p.411

있다

동 형 [읻따]

to have, to be
有
ある、いる

오늘 오후에 집에 **있어요**.

오늘 왕위 씨에게 좋은 일이 **있는** 것 같아요.

－이/가 －에 있다

반 없다 ⇨ p.410

💡 '있다'는 '가지고 있다'의 의미와 '(장소)에 있다'는 의미가 있어요.

조용하다

형 [조용하다]

to be quiet
安静
静かだ

우리 집 주변은 아주 **조용해요**.

－이/가 조용하다

반 시끄럽다 ⇨ p.410

좁다

형 [좁따]

to be narrow
狭小
狭い

내 방은 **좁아서** 불편해요.

－이/가 좁다

반 넓다 ⇨ p.409

편하다

형 [편하다]

to be comfortable, to be convenient
舒服
楽だ

이 옷은 크고 **편해서** 집에서 입기에 좋아요.

－이/가 편하다

반 불편하다 ⇨ p.361

💡 '편하다'에는 '편리하다'와 '편안하다'의 두 가지 의미가 있어요.

House/Nature

13

가구

명 [가구]

furniture
家具
家具

침대나 옷장 같은 **가구**들은 제가 결혼할 때 사 왔어요.

참 가구점, 중고 가구

상

명 [상]

a dining table
(饭)桌
お膳、食膳

배가 고프니까 빨리 **상**을 차려서 밥을 먹을까요?

관 상을 차리다, 상을 치우다
참 밥상, 책상

서랍

명 [서랍]

a drawer
抽屉
引き出し

지우개나 연필은 책상 **서랍**에 넣으세요.

관 서랍을 열다, 서랍을 닫다, 서랍에 넣다
참 책상 서랍

소파

명 [소파]

a sofa
沙发
ソファー

손님들이 거실에 있는 **소파**에 앉아 있어요.

수도
명 [수도]

water service, a tap
水管
水道

수도를 덜 잠갔는지, 물 떨어지는 소리가 들리네요.

관 수도를 틀다, 수도를 잠그다
참 수돗물, 수도꼭지, 상수도, 하수도

식탁
명 [식탁]

a dining table
餐桌
食卓

음식을 **식탁**에 차리세요.

관 식탁을 차리다, 식탁에 음식을 차리다
참 밥상, 상 ⇨ p.412

실
명 [실:]

thread
线
糸

단추를 달아 줄게. 바늘하고 **실**을 가지고 와.

액자
명 [액짜]

a (picture) frame
像框
額縁

벽에 **액자**를 걸었습니다.

열쇠
명 [열:쐬/열:쒜]

a key
钥匙
鍵

열쇠가 없어서 집에 못 들어갔어요.

반 자물쇠　　　참 열쇠고리

House/Nature

13

우산
명 [우:산]

an umbrella
雨伞
雨傘

비가 오니까 **우산**을 가지고 가세요.

관 우산을 쓰다, 우산을 펴다, 우산을 접다
참 양산

인형
명 [인형]

a doll
娃娃
人形

아기가 **인형**을 안고 자요.

참 곰 인형, 인형놀이

장난감
명 [장난깜]

a toy
玩具
おもちゃ

동생 생일 선물로 **장난감**을 샀어요.

참 장난감 기차, 장난감 로봇

책장
명 [책짱]

a bookshelf, a bookcase
书柜
本棚

책은 **책장**에 꽂으세요.

관 책장에 꽂다

초

명 [초]

a candle
蜡烛
ろうそく

생일 케이크에 초를 몇 개 꽂을까요?

관 초를 꽂다, 초를 켜다, 초를 끄다
참 촛불

침대

명 [침:대]

a bed
床
ベッド

저는 잘 때 가끔 침대에서 떨어져요.

관 침대에 눕다, 침대에서 일어나다

칼

명 [칼]

a knife
刀
包丁、ナイフ、カッター、刀

사과 깎아 줄게. 칼을 가지고 와.

관 칼로 깎다, 칼로 썰다

커튼

명 [커튼]

a curtain
窗帘
カーテン

방 안이 어두우니까 커튼을 걷어 주세요.

관 커튼을 치다, 커튼을 내리다, 커튼을 걷다

House/Nature

13

탁자

명 [탁짜]

a desk, a table
桌子
テーブル

커피 잔을 **탁자** 위에 놓았어요.

유 테이블 ⇨ p.416

테이블

명 [테이블]

a table
桌子
テーブル

거실에 **테이블**이 하나 놓여 있어요.

유 탁자 ⇨ p.416

피아노

명 [피아노]

a piano
钢琴
ピアノ

저는 **피아노**를 아주 잘 쳐요.

관 피아노를 치다

휴지

명 [휴지]

tissue, paper
卫生纸
ちり紙、紙くず

휴지로 코를 닦았어요.

유 화장지   참 휴지통

✎ **다음 질문에 답하십시오.**

1. 다음 중 관계가 <u>다른</u> 것은 무엇입니까?

① 시끄럽다 – 조용하다   ② 좁다 – 넓다

③ 있다 – 없다   ④ 편하다 – 더럽다

2. 다음 _____에 공통으로 들어갈 단어를 고르십시오.

> 저는 어렸을 때 피아노를 잘 _____ .
> 방이 너무 밝아서 커튼을 _____.

① 뛰었어요   ② 쳤어요   ③ 때렸어요   ④ 내렸어요

✎ **다음 문장의 밑줄 친 단어와 바꿔쓸 수 있는 것은 무엇입니까?**

3.

> 새로 나온 <u>물건</u>이 있으면 보여 주세요.

① 신제품   ② 가전제품   ③ 전기   ④ 드라이어

✎ **다음 그림을 보고 (   )에 맞는 단어를 쓰십시오.**

5. (   )

4. (   )

6. (   )

7. (   )

8. (   )

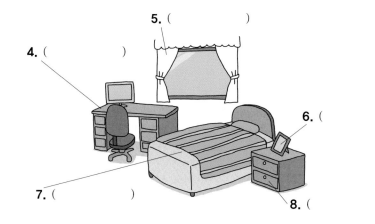

House/Nature

13

거실

명 [거실]

a living room
客厅
リビングルーム、居間

가족들이 모두 **거실**에서 텔레비전을 봐요.

닫다

동 [닫따]

to close
关
閉める、閉じる

창문 좀 **닫아** 주시겠어요?

-을/를 닫다

반 열다 ⇨ p.419

마당

명 [마당]

a yard
院子
中庭

우리집 **마당**에 나무가 있어요.

문

명 [문]

a door
门
扉、ドア

나갈 때 **문**을 꼭 닫고 나가세요.

관 문을 열다, 문을 닫다, 문을 잠그다
참 자동문, 정문, 후문, 대문, 현관문

방

명 [방]

a room
房间
部屋

우리 집에는 **방**이 3개 있어요.

관 방이 넓다, 방이 좁다
참 PC 방 ⇨ p.388, 노래방, 안방, 주방, 공부방, 온돌방 ⇨ p.420

벽

명 [벽]

a wall
墙壁
壁

벽에 액자를 좀 걸어 주세요.

참 벽지

부엌

명 [부엌]

a kitchen
厨房
キッチン、台所

엄마는 **부엌**에서 식사 준비를 하고 계세요.

유 주방

열다

동 [열:다]
불 'ㄹ'불규칙
⇨ Appendix p.481

to open
开
開ける、ひらく

이 열쇠로 문을 **열어** 주세요.

-을/를 열다
반 닫다 ⇨ p.418

House/Nature

13

온돌방
명 [온돌빵]

an ondol room an underfloor-heating floor
火坑式房
オンドル部屋

온돌방에 누우면 바닥이 아주 따뜻해요.

정원
명 [정원]

a garden
庭院
庭園、庭

우리 집 **정원**에는 꽃과 나무가 많이 있어요.

지하
명 [지하]

a basement
地下
地下

이 건물 **지하**에는 주차장이 있어요.

참 지하 1층, 지하 주차장, 지하실

집
명 [집]

a house, home
家
家

학교 끝나고 바로 **집**에 와요.

높 댁 ⇨ p.384
관 집을 짓다
참 하숙집

짓다
동 [짇:따]
불 'ㅅ'불규칙
⇨ Appendix p.483

to build
盖
(建物を) 建てる

저는 바닷가 근처에 집을 **짓고** 싶어요.

-을/를 짓다

관 집을 짓다, 약을 짓다, 이름을 짓다

420

창문

명 [창문]

a window
窗户
窓

그 방은 **창문**이 없어서 여름에 답답해요.

관 창문을 열다, 창문을 닫다

화장실

명 [화장실]

a bathroom, a rest room
卫生间
化粧室、トイレ

배가 아픈데, **화장실**에 가도 돼요?

관 화장실에 가다

House/Nature

13

깨지다

📢

동 [깨:지다]

to be broken
碎
欠ける、割れる、壊れる

설거지를 하다가 그릇이 **깨졌어요**.

–이/가 깨지다

꺼내다

📢☑

동 [꺼:내다]

to take out
取出
取り出す

세탁기에서 빨래를 **꺼냈어요**.

–에서 –을/를 꺼내다

반 넣다 ⇨ p.423

꽂다

📢

동 [꼳따]

to put, to fix, to arrange
插
挿す

꽃병에 꽃을 **꽂으세요**.

–에 –을/를 꽂다

반 빼다

끄다

📢🔊

동 [끄다]
불 '으'불규칙
⇨ Appendix p.484

to turn off, to put out
关
(火・電気などを) 消す

집에서 나가기 전에 불을 모두 **끄세요**.

–을/를 끄다

반 켜다 ⇨ p.428

넣다

동 [너:타]

to put in
放进
入れる

겨울 옷을 옷장에 **넣으세요**.

–에 –을/를 넣다

반 빼다
꺼내다 ⇨ p.422

놓다

동 [노타]

to put
放、搁
置く、手を放す

책상 위에 책을 **놓으세요**.

–에 –을/를 놓다

다리다

동 [다리다]

to iron
熨烫
アイロン掛けをする

다리미로 제 셔츠를 **다려** 주세요.

–을/를 다리다

관 옷을 다리다
참 다림질, 다리미질

House/Nature

13

닦다

동 [닥따]

to polish
擦
拭く、拭う

구두를 깨끗이 **닦아서** 신고 다니세요.

–을/를 닦다

관 이를 닦다, 차를 닦다, 창문을 닦다

두다

동 [두다]

to set
放
置く

어디에 이 꽃병을 **둘까요**?

–에 –을/를 두다

떨어지다

동 [떠러지다]

to drop
洒、落、掉
落ちる

방바닥에 물이 **떨어져서** 걸레로 닦았어요.

–이/가 떨어지다

관 시험에 떨어지다

말리다

동 [말리다]

to dry
晾干
乾かす

옷을 말릴 시간이 없어서 다리미로 **말렸어요**.

–을/를 말리다

관 빨래를 말리다, 머리를 말리다

불

명 [불]

light, fire
灯、火
火、電気の灯り

어두우니까 **불**을 켭시다.

관 불을 켜다/끄다, 불이 나다

참 촛불

424

비누

명 [비누]

soap
肥皂
せっけん

비누로 얼굴을 깨끗이 씻으세요.

참 물비누, 빨랫비누, 가루비누

빨래

명 [빨래]

laundry
洗衣服
洗濯

일주일 동안 **빨래**를 안 해서 입을 옷이 없어요.

유 세탁 ⇨ p.425
관 빨래를 하다
참 손빨래, 빨랫비누

설거지

명 [설거지]

dishwashing
洗碗
食器洗い

밥을 먹고 난 후에 **설거지**를 바로 하세요.

동 설거지하다

세탁

명 [세:탁]

laundry, a wash
洗衣
洗濯、クリーニング

흰 옷은 색깔 옷과 따로 **세탁**하세요.

동 세탁하다
유 빨래 ⇨ p.425
참 세탁기, 세탁소

House/Nature

13

수리

명 [수리]

repair, mending
修理
修理

세탁기가 고장나서 **수리**해야 돼요.

- 을/를 수리하다
- 이/가 수리되다

동 수리하다, 수리되다　　참 수리비, 수리기사, 수리센터

💡 '수리'는 주로 기계를, '수선'은 주로 옷이나 가방, 신발 같은 것을
고칠 때 사용해요.

심부름

명 [심:부름]

an errand
当差
お使い

엄마 **심부름**으로 시장에 갔다 왔어요.

동 심부름하다　　관 심부름을 시키다, 심부름을 가다

쓰레기

명 [쓰레기]

garbage, waste
垃圾
ごみ

길에다 **쓰레기**를 버리지 맙시다.

관 쓰레기를 버리다　　참 쓰레기통

이사

명 [이사]

a move
搬家
引越し

제 친구가 서울로 **이사**를 왔어요.

- (으)로 이사하다

동 이사하다　　관 이사(를) 가다/오다
참 이삿짐, 이삿짐센터

426

정리

📢☑️

명 [정니]

arrangement
整理
整理

책상이 너무 지저분해서 **정리**를 했어요.

- 을/를 정리하다
- 이/가 정리되다

동 정리하다, 정리되다
유 정돈, 정리정돈
참 책상 정리, 집안 정리, 교통정리, 통장 정리, 서류 정리

집들이

📢

명 [집뜨리]

a housewarming party
乔迁宴、温居
転居祝い、引越し祝い

새 집으로 이사하고 나서 **집들이**를 했어요.

동 집들이하다
참 집들이 선물
💡 한국에서는 집들이에 갈 때 주로 '세제'나 '휴지'같은 것을 선물해요.

집안일

📢

명 [지반닐]

housework
家务事
家事

요즘은 남편들도 **집안일**을 많이 도와줘요.

관 집안일을 돕다, 집안일을 하다

청소

📢☑️🌐

명 [청소]

cleaning
打扫
掃除

집 안을 여기저기 깨끗하게 **청소**하세요.

동 청소하다
참 청소기, 대청소, 화장실 청소, 청소 도구

House/Nature

13

초대

명 [초대]

invitation
招待
招待

제 생일 파티에 친구들을 **초대**했어요.

- -을/를 초대하다
- -에 초대되다

동 초대하다, 초대되다
관 초대를 받다
참 초대장, 초대 손님

켜다

동 [켜다]

to turn on
打开
(火・電気などを) 点ける

텔레비전을 **켜** 주세요.

- -을/를 켜다

반 끄다 ⇨ p.422

✎ **다음 질문에 답하십시오.**

1. 다음 밑줄 친 단어와 바꿔쓸 수 있는 말을 고르십시오.

> 테이블 위에 꽃병이 있어요.

① 책상   ② 탁자   ③ 소파   ④ 액자

2. 다음 중 반대말끼리 연결된 것이 <u>아닌</u> 것을 고르십시오.
   ① 열다 – 닫다   ② 켜다 – 끄다
   ③ 깨지다 – 짓다   ④ 꽂다 – 빼다

✎ **다음 _____ 에 공통으로 들어갈 말을 고르십시오.**

3.

> 집을 _____ .
> 이름을 _____ .

① 하다   ② 짓다   ③ 두다   ④ 놓다

✎ **다음 질문에 답하십시오.**

4. 다음 밑줄 친 단어와 비슷한 말을 고르십시오.

> 세탁기가 고장 났어요. <u>고쳐</u> 주세요.

① 수리해   ② 바꿔   ③ 버려   ④ 말려

✎ **Let's look at how Korean words are related to Chinese Characters.**

p.412

furniture
家具
家具

새로 이사를 해서 가구를 많이 사야 해요.

가구

p.16

a family
家族
家族

우리 가족은 모두 다섯 명이에요.

가족

家 가 | 집
a house
家
家

p.405

(electric) home appliance
家电产品
家電製品

요즘 가전제품의 가격이 조금 싸졌습니다.

가전제품

자가용

p.364

a private car
私家车
自家用車

피터 씨는 자가용으로 출퇴근을 합니다.

화가

p.59

an artist
画家
画家

이 그림은 유명한 화가가 그린 그림이에요.

14

문화

Culture

Korean through Chinese Characters

광고
명 [광:고]

an advertisement
广告
広告

인터넷 **광고**를 보고 옷을 샀습니다.

–을/를 광고하다

동 광고하다
참 신문 광고, 텔레비전 광고, 인터넷 광고, 신제품 광고, 모집 광고, 광고 모델

뉴스
명 [뉴스]

news
新闻、消息
ニュース

저는 보통 저녁 9시에 텔레비전 **뉴스**를 봅니다.

참 텔레비전 뉴스, 인터넷 뉴스

드라마
명 [드라마]

a drama
电视剧、剧
ドラマ

요즘 재미있는 **드라마**가 뭐예요?

참 텔레비전 드라마, 역사 드라마, 아침 드라마

방송

명 [방:송]

broadcasting
播送、播放
放送

지금 텔레비전에서 축구 경기를 **방송**하고 있습니다.

-을/를 방송하다
-이/가 방송되다

동 방송하다, 방송되다
참 방송국, 라디오 방송, 텔레비전 방송, 생방송, 녹화 방송

신문

명 [신문]

a newspaper
报纸
新聞

리에 씨는 아침마다 **신문**을 읽습니다.

관 신문을 보다, 신문을 읽다

이메일

명 [이메일]

e-mail
电子邮件
Eメール

저는 고향에 계신 부모님과 **이메일**로 연락을 합니다.

유 전자 우편, 전자 메일
관 이메일을 쓰다, 이메일을 보내다/받다, 이메일을 읽다, 이메일을 확인하다,
　 이메일로 연락하다
참 이메일 주소

Culture

14

인터넷

명 [인터넫]

internet, the Internet
互联网
インターネット

왕위 씨는 **인터넷**으로 중국의 뉴스를 봅니다.

참 인터넷 홈페이지, 인터넷 광고, 인터넷 신문, 인터넷 게임, 인터넷 쇼핑

잡지

명 [잡찌]

a magazine
杂志
雜誌

이 옷을 **잡지**에서 보고 샀습니다.

관 잡지를 보다, 잡지를 읽다
참 패션 잡지, 잡지사

정보

명 [정보]

information
信息
情報

저는 인터넷으로 한국의 **정보**를 많이 찾았어요.

참 관광 정보, 생활 정보, 날씨 정보

컴퓨터

명 [컴퓨터]

a computer
电脑
コンピュータ

컴퓨터로 이메일을 보내고 싶은데 어떻게 해야 돼요?

관 컴퓨터를 사용하다, 컴퓨터를 켜다/끄다
참 컴퓨터실, 컴퓨터 하다

홈페이지

명 [홈페이지]

homepage
网页
ホームページ

저도 **홈페이지**를 만들고 싶어요.

관 홈페이지를 만들다
참 회사 홈페이지, 개인 홈페이지

국립

명 [궁닙]

national
国立
国立

이번 주 토요일에 **국립** 박물관에 갈 거예요.

참 국립 박물관, 국립 국악원, 국립 대학교

기회

명 [기회/기훼]

a chance, an opportunity
机会
機会、チャンス

한국 문화를 배울 **기회**가 거의 없었어요.

관 기회가 있다, 기회가 없다, 기회를 만들다, 기회를 잡다/놓치다

나타나다

동 [나타나다]

to arise
出现、产生
現れる、明らかになる

이곳의 환경 문제가 심각한 것으로 **나타났습니다.**

-이/가 나타나다

관 결과가 나타나다

돕다

동 [돕ː따]
불 'ㅂ'불규칙
⇨ Appendix p.483

to help
帮助
助ける、手伝う

무엇을 **도와** 드릴까요?

-을/를 돕다

관 도와주다, 도와 드리다

마찬가지

명 [마찬가지]

the same
同样
同様、同じこと

안나 : 서울은 교통이 복잡해요. 뉴욕은 어때요?
피터 : 뉴욕도 **마찬가지**예요.

법

명 [법]

a law
法律
法律

다른 나라에 가면 그 나라의 **법**을 지켜야 합니다.

관 법을 만들다, 법을 지키다, 법을 따르다, 법을 어기다

변하다

동 [변:하다]

to change
变化
変わる

왕위 씨의 입맛이 한국 사람처럼 **변해서** 이제는 김치도 잘 먹어요.

– 이/가 변하다

관 입맛이 변하다, 성격이 변하다, 기온이 변하다

사실

명 [사:실]

the truth, a fact
事实
事実

거짓말하지 말고 **사실**대로 이야기해 보세요.

사업

명 [사:업]

a business
事业
ビジネス

저는 취직을 하지 않고 **사업**을 하고 싶어요.

동 사업하다
참 사업가

신고

명 [신고]

a notification, a report
申報
届け出、通報

불이 나면 119로 **신고**하세요.

동 신고하다

인구

명 [인구]

population
人口
人口

서울의 **인구**는 몇 명쯤 돼요?

관 인구가 많다/적다

Culture

14

✎ **다음 질문에 답하십시오.**

1. 다음은 무엇과 관련이 있는 단어입니까?

| 인터넷 | 홈페이지 | 이메일 |

① 뉴스　　② 드라마　　③ 컴퓨터　　④ 잡지

✎ **다음 중 어울리는 것끼리 연결하십시오.**

2. 홈페이지를　　•　　　　•　① 하다

3. 인테넷을　　•　　　　•　② 보내다

4. 이메일을　　•　　　　•　③ 만들다

✎ **다음 _____ 에 들어갈 알맞은 단어를 〈보기〉에서 찾아 쓰십시오.**

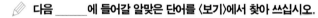

| 보기 |　　사실　　정보　　차례　　마찬가지　　인구 |

5. _____ 을/를 지켜서 줄을 서야 표를 빨리 살 수 있습니다.

6. 요즘에 저는 인터넷이나 신문을 보고 _____ 을/를 찾습니다.

7. 피터 씨는 거짓말을 하지 않고 항상 _____ 을/를 말합니다.

8.
> 가　한국의 _____ 은/는 얼마나 돼요?
>
> 나　4,700만 명쯤 돼요.

9.
> 가　오늘 시험이 너무 어려워서 잘 못 봤어요.
>
> 나　저도 _____ 이에요/예요.
> 　　앞으로 더 열심히 공부해야겠어요.

track **61**

공포
명 [공:포]

horror
恐怖
恐怖、ホラー

리에 씨는 **공포** 영화 보는 것을 좋아합니다.

참 공포 영화, 공포 소설

극장
명 [극짱]

a movie theater
剧场、电影院
劇場、映画館

영화를 보려고 **극장**에 가서 표를 예매했어요.

유 영화관

매진
명 [매:진]

sold out
售完
売り切れ

주말이라서 영화 표가 모두 **매진**됐습니다.

동 매진되다

멜로
명 [멜로]

melodrama
言情剧
メロドラマ

안나 씨는 **멜로** 영화를 좋아해요.

참 멜로 영화, 멜로 드라마

Culture

14

439

보다

동 [보다]

to see
看
見る

이 연극을 **보려면** 어느 극장으로 가야 해요?

-을/를 보다

관 영화를 보다, 연극을 보다, 텔레비전을 보다, 공연을 보다, 책을 보다, 신문을 보다

보이다 ①

동 [보이다]

to be seen
看得见
見える

앞이 잘 **보이는** 자리에 앉고 싶어요.

-이/가 보이다

관 산이 보이다, 하늘이 보이다, 글씨가 보이다

보이다 ②

동 [보이다]

to show
看、给看
見せる

어제 친구가 저에게 영화를 **보여** 주었습니다.

-에게 -을/를 보이다

관 보여 주다

상영

명 [상:영]

playing
上映
上映

지금 **상영**되고 있는 영화 중에서 제일 재미있는 영화가 뭐예요?

동 상영하다, 상영되다

참 상영 시간, 상영 중

💡 영화는 '상영하다', 연극은 '공연하다', 드라마나 텔레비전 프로그램은 '방영하다'라고 말해요.

서양

📣

명 [서양]

Western, the Occident, the west
西洋
西洋

요즘 **서양** 사람들도 한국 영화에 관심이 많습니다.

참 서양 음악, 서양 사람

소극장

📣

명 [소:극짱]

a little theater
小剧场
小劇場

연극은 보통 **소극장**에서 공연을 많이 합니다.

액션

📣

명 [액션]

an action
动作
アクション

저는 **액션** 영화를 별로 좋아하지 않아요.

참 액션 영화

연극

📣

명 [연:극]

a play
话剧
演劇

저는 영화보다 **연극**을 더 좋아합니다.

동 연극하다
참 연극 공연, 연극 배우

Culture

14

영화

명 [영화]

a movie
电影
映画

이번 주말에 **영화** 보러 갈까요?

괜 영화를 보다
참 영화 상영, 영화 배우

예매

명 [예:매]

advance purchase
预订
前売り

사람이 많으니까 먼저 표를 **예매**합시다.

동 예매하다
참 영화 표 예매, 비행기 표 예매, 기차표 예매, 입장권 예매

💡 '예매'는 표를 미리 살 때, '예약'은 식당 같은 곳에 자리를 미리 정해
놓을 때 사용해요.

장면

명 [장면]

a scene
场面
場面

어제 본 영화에서 어떤 **장면**이 제일 좋았어요?

코미디

명 [코미디]

a comedy
喜剧
コメディー

제 동생은 보면서 많이 웃을 수 있는 **코미디** 영화
를 좋아합니다.

참 코미디 영화

뮤지컬

명 [뮤지컬]

a musical
音乐剧
ミュージカル

준이치 씨는 **뮤지컬**을 좋아해요.

관 뮤지컬 배우

미술

명 [미:술]

arts, drawing
美术
美術

일주일에 두 번 **미술** 학원에서 그림을 그립니다.

참 미술관, 현대 미술, 미술 학원

박수

명 [박쑤]

applause, a handclap
鼓掌
拍手

공연을 보고 사람들이 모두 일어나서 **박수**를 쳤어요.

관 박수를 치다, 박수를 받다

소설

명 [소:설]

a novel
小说
小説

한국 역사에 대해 쓴 **소설**책을 읽고 싶어요.

관 소설을 쓰다, 소설을 읽다
참 소설가, 소설책, 역사 소설, 과학 소설

Culture

14

443

수필

명 [수필]

an essay
随笔
随筆、エッセイ

수필은 어떻게 쓰는 게 좋아요?

관 수필을 쓰다, 수필을 읽다
참 수필가, 수필집

시

명 [시]

a poem
诗
詩

제 취미는 **시**를 쓰는 것입니다.

관 시를 쓰다, 시를 읽다
참 시집, 시인

오페라

명 [오페라]

(an) opera
歌剧
オペラ

오페라하고 뮤지컬은 어떻게 달라요?

관 오페라를 보다
참 오페라 공연, 오페라 배우

전시회

명 [전:시회 /
전:시훼]

an exhibition
展览会
展示会

미술 **전시회**에 가서 그림을 보려고 합니다.

유 전람회
관 전시회를 하다
참 미술 전시회, 사진 전시회

444

5 전통문화 Traditional Culture · 传统文化 · 伝統文化

track **63**

도자기

명 [도자기]

ceramics
陶瓷器
陶磁器

지난번에 소풍을 가서 **도자기**를 만들었습니다.

참 도자기 공장, 도자기 전시회

문화

명 [문화]

culture
文化
文化

한국의 **문화**에 대해서 공부하고 싶어요.

참 전통 문화, 한국 문화, 외국 문화

복

명 [복]

good fortune
福
福

새해 **복** 많이 받으세요.

관 복을 받다, 복이 많다, 복이 없다, 복이 나가다

설날

명 [설ː랄]

the Lunar New Year's Day
春节
ソルラル 陰暦1月1日の新年を祝う年中行事

한국 사람들은 **설날** 아침에 떡국을 먹습니다.

Culture

14

세배

명 [세:배]

New Year's bow a formal bow of respect to one's elders on New Year's Day

拜年
新年のあいさつ

설날 아침에 아이들은 어른들께 세배를 합니다.

동 세배하다
관 세배를 드리다, 세배를 받다, 세배를 다니다
참 세뱃돈

아리랑

명 [아리랑]

Arirang Korean traditional folk song

阿里郎 韩国传统民谣
アリラン 韓国伝統民謡の題名

외국 사람들이 가장 많이 아는 한국 노래는 아리랑입니다.

왕

명 [왕]

a king

王、大王
王

박물관에 가면 옛날 왕들의 물건을 볼 수 있습니다.

유 임금

윷놀이

명 [윤:노리]

Yut playing a traditional board game commonly played on New Year's Day

翻板子游戏、尤茨游戏 民俗游戏
ユンノリ 正月に行なうすごろくに似た遊び

새해에는 친척들이 모여서 윷놀이를 하면서 놀아요.

동 윷놀이하다

전통

명 [전통]

tradition
传统
伝統

한국의 **전통**문화를 배우고 싶어서 한국에 왔습니다.

참 전통적, 전통문화, 전통 음악, 전통 놀이

차례

명 [차례]

ancestor memorial rites
祭祀
チャレ 陰暦の1月1日やチュソクに行なう祭祀

추석과 설날에는 가족들이 모두 모여 **차례**를 지냅니다.

관 차례를 지내다
참 차례상

추석

명 [추석]

Chuseok Korean Thanksgiving Day
中秋
チュソク 陰暦8月15日に墓参りや祭祀を行なう年中行事

추석은 음력 8월 15일이에요.

💡 '추석'은 한국의 큰 명절 중의 하나예요.

Culture

14

축제

명 [축쩨]

a festival
庆典、庆祝会
祝祭、祭り

한국의 대학교들은 보통 5월에 **축제**를 합니다.

관 축제를 하다, 축제가 열리다
참 문화 축제, 거리 축제

447

탈

명 [탈ː]

a mask
面具
仮面

탈을 쓰고 추는 춤을 **탈**춤이라고 합니다.

관 탈을 쓰다, 탈을 벗다
참 탈춤

태권도

명 [태꿘도]
⇨ Appendix p.468

Taekwondo
跆拳道
テコンドー 空手に似た韓国の伝統武道

태권도는 외국에서도 인기가 많습니다.

관 태권도를 하다, 태권도를 배우다
참 태권도장, 태권도 경기

판소리

명 [판쏘리]

Pansori traditional Korean narrative song
清唱、板瑟里 韩国传统艺术形式
パンソリ 語りに節をつけて歌う伝統芸能

어제 **판소리** 공연을 봤어요.

동 판소리하다
참 판소리 공연

풍습

명 [풍습]

custom
风俗
風習

나라마다 문화와 **풍습**이 달라요.

✎ 다음 영화에 해당하는 단어를 〈보기〉에서 찾아 쓰십시오.

| 보기 | 공포 영화 | 코미디 영화 | 액션 영화 | 멜로 영화 |

1. (   )   2. (   )   3. (   )   4. (   )

✎ 다음 그림에 어울리는 단어를 〈보기〉에서 찾아 쓰십시오.

| 보기 | 도자기 | 태권도 | 탈 | 판소리 |

5. (   )   6. (   )   7. (   )   8. (   )

✎ 다음 _____ 에 알맞은 단어를 〈보기〉에서 찾아 쓰십시오.

| 보기 | 상영 | 뮤지컬 | 극장 |

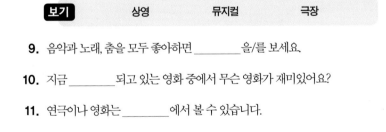

9. 음악과 노래, 춤을 모두 좋아하면 _____을/를 보세요.

10. 지금 _____되고 있는 영화 중에서 무슨 영화가 재미있어요?

11. 연극이나 영화는 _____에서 볼 수 있습니다.

Culture

14

✎ **Let's look at how Korean words are related to Chinese Characters.**

an animal
动物
動物
p.397
가장 좋아하는 동물이 뭐예요?

동물

exercise
运动
運動
p.225
건강을 위해서 아침마다 운동하기로 했어요.

운동

動 동
움직이다
to move
动
動く

activity
活动
活動
p.38
저는 등산 동호회에서 활동하고 있어요.

활동

자동판매기
p.192
a vending machine
自动售货机
自動販売機
자동판매기에서 커피를 뽑아서 마셨어요.

자동차
an automobile
汽车
自動車
p.364
아침에 자동차로 회사에 갑니다.

15

기타

Etc.

가장

📝 부 [가장]

the most
最
いちばん

제가 **가장** 좋아하는 과일은 사과예요.

유 제일 ⇨ p.461

같다

형 [갇따]

to be the same
相同
同じだ

우리는 **같은** 고향에서 왔어요.

–이/가 같다
반 다르다 ⇨ p.34

거의

명 부 [거의/거이]

almost
基本上、几乎
ほとんど

감기가 **거의** 다 나아서 지금은 괜찮아요.

굉장히

부 [굉장히/궹장히]

very, immensely
特別、非常
非常に

학교 앞에 새로 지은 빌딩이 **굉장히** 높네요.

형 굉장하다

그냥

부 [그냥]

just
就那样
そのまま

집에 가자마자 아무것도 하지 않고 **그냥** 잤어요.

그래

감 [그래]

all right
好、行
うん、よし

안나 : 우리 같이 도서관에 갈까?
왕위 : **그래**. 같이 가자.

너무

부 [너무]

too
太
あまりに、すごく

그건 **너무** 매워서 먹을 수가 없어요.

동 너무하다
유 아주 ⇨ p.457
　　되게
　　매우 ⇨ p.455

누가

대 [누가]

who
谁
誰が

누가 이 그림을 그렸어요?

💡 누구 + 가 → 누가

무엇

대 [무얼]

what
什么
何

점심에 **무엇**을 먹고 싶어요?

준 뭐

💡 무엇 + 을 → 뭘   무엇 + 에 → 뭐에
　 무엇 + 이 → 뭐가   무엇 + 인지 → 뭔지

도망가다

동 [도망가다]

to escape, to run away
逃走
逃げる

도둑은 경찰을 보자마자 창문으로 **도망갔어요**.

- 이/가 도망가다
- (으)로 도망가다

도둑

명 [도둑]

a thief
小偷
泥棒

집에 **도둑**이 들었어요.

관 도둑이 들다, 도둑 맞다

덜

부 [덜:]

incompletely, less
少、不够
より少なく、不十分に

리에 : 책을 다 읽었어요?

왕위 : 아니요, 아직 **덜** 읽었어요.

리에 : 오늘이 어제보다 더 추운 것 같아요.

왕위 : 그래요? 전 어제보다 **덜** 추운 것 같은데요.

💡 '덜'이 동사 앞에 있으면 반대말이 '다'이고, '덜'이 형용사 앞에 있으면 반대말이 '더'예요.

등

명 [등:]

etc.
等
など

우리 학교에는 미국 사람, 일본 사람, 중국 사람 **등**
여러 나라 학생들이 있어요.

말다

동 [말:다]
불 'ㄹ'불규칙
⇨ Appendix p.481

to do not, instead of
別
しない、やめる

걱정하지 **마세요**.

왕위 씨 **말고** 리에 씨가 하세요.

-지 말다
《명사》+ 말고 +《명사》

매우

부 [매우]

very
很、非常
とても

그 사람은 **매우** 착하고 성실합니다.

유 아주 ⇨ p.457
되게

몹시

부 [몹:씨]

awfully
很、極
ひどく、非常に

기분이 **몹시** 나빠요.

유 대단히

💡 주로 부정적인 의미로 사용해요.

무척

부 [무척]

very
相当
とても

그 소식을 듣고 **무척** 기뻤어요.

유 아주 ⇨ p.457
　　매우 ⇨ p.455

아

감 [아]

Oh!
呀、哦
ああ

앤디 : 오늘 회의가 취소됐어요.

피터 : **아**, 그래요?

아무리

부 [아:무리]

no matter how
怎么、无论怎么
いくら (～でも)

공부를 **아무리** 열심히 해도 성적이 오르지 않아요.

아이고

감 [아이고]

Dear me!, Oh my goodness!, Ouch!
啊呀! 哎呦!
おやおや、いやあ

아이고, 지갑을 집에 놓고 나왔네!

💡 한국 사람들은 보통 '아이구'라고 말해요.

아주

부 [아주]

very
很
とても

요시코 씨는 노래를 **아주** 잘 불러요.

유 매우 ⇨ p.455, 참 ⇨ p.462, 되게

💡 말할 때 보통 '되게'라고 많이 말해요.

안

부 [안]

not
不、没
～ない 否定の意を表す副詞

오늘은 별로 **안** 추워요.

💡 《명사》+ 하다' 동사의 경우 《명사》+ 안 하다' 로 써요.
공부하다 → 공부 안 하다 (○)
　　　　　 안 공부하다 (×)

않다

동 형 [안타]

not to do, not to be
不、没
～ない

일요일에는 회사에 가지 **않아요**.

회사 일이 쉽지 **않아요**.

–지 않다

어느

관 [어느]

which
哪个
どの、どちらの

이 모자들 중에서 **어느** 것이 마음에 들어요?

어느 + 《명사》

💡 선택을 해야 하는 질문에 써요.

Etc.

15

457

어떤

관 [어떤]

what kind
哪种
どんな、ある～

그 사람이 **어떤** 사람인지 얘기해 주세요.

💡 설명이 필요한 질문에는 '어떤'을 쓰고 종류를 물어볼 때는 '무슨'을 써요.
리에 : 어떤 영화를 좋아해요?
안나 : 재미있고 잘생긴 사람이 나오는 영화를 좋아해요.

안나 : 무슨 영화를 좋아해요?
리에 : 액션 영화나 공포 영화를 좋아해요.

어휴

감 [어휴]

Boy!, Oh my!
唉! 哎呀!
やれやれ

어휴, 이렇게 많은 일을 언제 다 하지요?

여러

관 [여러]

several
各、好几
多くの

백화점에는 **여러** 가지 물건들이 많이 있어요.

여러 + 《명사》

참 여러 가지, 여러분, 여러 개, 여러 명, 여러 번

왜

부 [왜:]

why
为什么
なぜ、どうして

그 사람은 **왜** 안 왔어요?

음

감 [음]

Well...
嗯
うむ、そうだねえ

준이치 : 맛이 어때?
올가 : **음**, 조금 짠 것 같아.

유 어

응

감 [응]

O.K., yes
嗯、好
うん

피터 : 이따가 전화해.
올가 : **응**, 알았어.

높 예 ⇨ p.73
네 ⇨ p.70

자

감 [자]

Come on
好、那么
さあ

자, 우리 이제 출발합시다.

잘

부 [잘]

well, often
好、很
よく、たびたび

올가 씨는 매운 음식을 아주 **잘** 먹어요.

저는 그 식당에 **잘** 가요.

Etc.

15

저

감 [저:]

say, well
哎
あのう

저, 혹시 지금 몇 시인지 아세요?

적어도

부 [저:거도]

at the least
至少、起码
少なくとも

그 사람은 **적어도** 40세는 되었을 거예요.

전혀

부 [전혀]

never
根本
全然、ちっとも

저는 고기는 **전혀** 안 먹어요.

💡 '안', '못', '-지 않다', '-지 못하다'와 같은 단어나 표현과 항상 같이 써요.

정말

명 부 감 [정말]

the truth , really
实话、真地
本当（に）

그 말이 **정말**이에요?

난 너를 **정말** 사랑해.

큰일났네, **정말**!

제일

명 [제:일]

the most used to create the superlative
最
いちばん、最も

세계에서 **제일** 높은 산은 에베레스트 산이에요.

유 가장 ⇨ p.452
최고로

좀

부 [좀]

please, a little
一下儿、有点儿
ちょっと

연필 **좀** 빌려 주시겠어요?

이건 **좀** 이상해요.

💡 부탁할 때 '좀'을 쓰면 더 좋아요.

주로

부 [주로]

mainly
基本上、主要
主に

저는 시간이 있으면 **주로** 운동을 해요.

줍다

동 [줍:따]
불 'ㅂ'불규칙
⇨ Appendix p.483

to pick up
捡
拾う

저기 떨어진 공 좀 **주워** 주세요.

-을/를 줍다

Etc.

15

진짜

명 부 [진짜]

the real thing, really
真货，真的
本物、本当（に）

장남감 총을 **진짜**처럼 만들었어요.

영화가 **진짜** 지루했어요.

반 가짜
유 정말 ⇨ p.460

쁨

접 [쁨]

around
左右
〜ごろ、〜くらい

12월 20일**쁨** 연락할게요.

유 정도 ⇨ p.336

참

명 부 감 [참]

quite, truth, indeed!
真、真是
真実、本当（に）、まったく

경치가 **참** 좋아요.

그 말이 **참**이에요? 거짓이에요?

이것 **참**! 큰일 났네요.

반 거짓
유 진실

✎ 다음 _____에 알맞은 단어를 〈보기〉에서 찾아 쓰십시오.

보기　　　왜　　　어느　　　누가　　　어떤　　　무엇

1. 가 _____ 이 일을 하기로 했지요?
　　 나 준이치 씨가 하기로 했어요.

2. 이 셋 중에서 _____ 것이 마음에 들어?

3. 그 사람은 _____ 사람인지 말해 주세요.

✎ 다음 _____에 들어갈 수 <u>없는</u> 말을 고르십시오.

4.

리에 씨는 노래를 _____ 잘 불러요.

① 매우　　　② 되게　　　③ 참　　　④ 전혀

5.

세계에서 인구가 _____ 많은 나라는 중국이에요.

① 제일　　　② 가장　　　③ 주로　　　④ 최고로

✎ 다음 밑줄 친 말과 바꿔 쓸 수 있는 말을 고르십시오.

6.

그 영화는 <u>진짜</u> 재미있었어요.

① 가짜　　　② 정말　　　③ 혹시　　　④ 훨씬

7.

집에 가자마자 <u>아무것도 하지 않고</u> 잤어요.

① 너무　　　② 그냥　　　③ 몹시　　　④ 혹시

Etc.

15

부록

Appendix

추가 어휘 Additional Vocabulary

대한민국 Republic of Korea ·
大韩民国 · 大韓民国

중국 China · 中国 · 中国

일본 Japan · 日本 · 日本

인도 India · 印度 · インド

몽골 Mongolia · 蒙古 · モンゴル

네팔 Nepal · 尼泊尔 · ネパール

터키 Turkey · 土耳其 · トルコ

필리핀 the Philippines · 菲律宾 ·
フィリピン

베트남 Vietnam · 越南 · ベトナム

태국 Thailand · 泰国 · タイ

인도네시아 Indonesia ·
印度尼西亚 · インドネシア

말레이시아 Malaysia · 马来西亚 ·
マレーシア

대만 Taiwan · 台湾 · 台湾

싱가포르 Singapore · 新加坡 ·
シンガポール

우즈베키스탄 Uzbekistan ·
乌兹别克斯坦 · ウズベキスタン

러시아 Russia · 俄罗斯 · ロシア

캐나다 Canada · 加拿大 · カナダ

미국 United States of America · 美国 · アメリカ

영국 England, United Kingdom · 英国 · イギリス

독일 Germany · 德国 · ドイツ

프랑스 France · 法国 · フランス

호주 Australia · 澳大利亚 · オーストラリア

뉴질랜드 New Zealand · 新西兰 · ニュージーランド

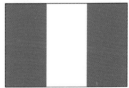

나이지리아 Nigeria · 尼日利亚 · ナイジェリア

남아프리카공화국 South Africa · 南非 · 南アフリカ共和国

브라질 Brazil · 巴西 · ブラジル

멕시코 Mexico · 墨西哥 · メキシコ

페루 Peru · 秘鲁 · ペルー

이탈리아 Italiy · 意大利 · イタリア

아르헨티나 Argentina · 阿根廷 · アルゼンチン

467

색깔 Colors · 颜色 · 色

- 빨간색 red · 红色 · 赤
- 주황색 orange · 橘红色 · オレンジ
- 노란색 yellow · 黄色 · 黄色
- 파란색 blue · 蓝色 · 青
- 연두색 yellow-green · 浅绿色 · 黄緑
- 보라색 violet · 紫色 · 紫
- 자주색 purple · 紫红色 · 赤紫
- 분홍색 pink · 粉红色 · ピンク
- 갈색 brown · 棕色 · 茶色

- 하얀색(흰색) white · 白色 · 白
- 까만색(검은색) black · 黑色 · 黒
- 초록색(녹색) green · 绿色 · 緑
- 하늘색 sky blue · 天蓝色 · 水色
- 회색 grey · 灰色 · 灰色
- 살구색 peach · 杏色 · うすだいだい
- 금색 gold · 金色 · 金色
- 은색 silver · 银色 · 銀色
- 밤색 maroon · 褐色 · 栗色

운동 Sports · 运动 · スポーツ

축구를 하다 to play soccer ·
踢足球 · サッカーをする

농구를 하다 to play basketball
· 打篮球 · バスケットボールをする

야구를 하다 to play baseball ·
打棒球 · 野球をする

수영을 하다 to swim ·
游泳 · 水泳をする、泳ぐ

요가를 하다 to do yoga ·
练瑜伽 · ヨガをする

배구를 하다 to play volleyball ·
打排球 · バレーボールをする

태권도를 하다 to do Taekwondo
· 打跆拳道 · テコンドーをする

검도를 하다 to fence · 剑道 ·
剣道をする

스키를 타다 to ski · 滑雪 ·
スキーをする

스노보드를 타다 to snowboard · 滑单板 · スノーボードをする

스케이트를 타다 to skate · 滑冰 · スケートをする

골프를 치다 to golf · 打高尔夫球 · ゴルフをする

테니스를 치다 to play tennis · 打网球 · テニスをする

탁구를 치다 to play ping-pong · 打乒乓球 · 卓球をする

볼링을 치다 to bowl · 打保龄球 · ボーリングをする

가계도 Family Tree · 家系图 · 家系図

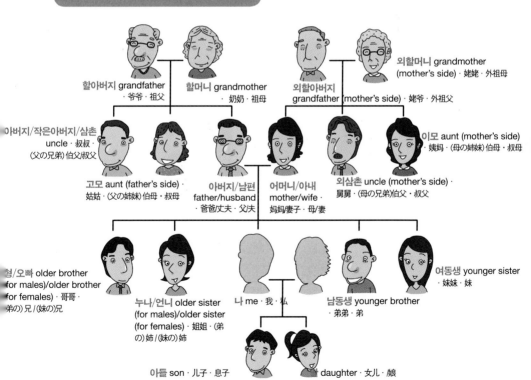

할아버지 grandfather · 爷爷 · 祖父

할머니 grandmother · 奶奶 · 祖母

외할아버지 grandfather (mother's side) · 姥爷 · 外祖父

외할머니 grandmother (mother's side) · 姥姥 · 外祖母

아버지/작은아버지/삼촌 uncle · 叔叔 · (父の兄弟)伯父/叔父

고모 aunt (father's side) · 姑姑 · (父の姉妹)伯母/叔母

아버지/남편 father/husband · 爸爸/丈夫 · 父/夫

어머니/아내 mother/wife · 妈妈/妻子 · 母/妻

외삼촌 uncle (mother's side) · 舅舅 · (母の兄弟)伯父/叔父

이모 aunt (mother's side) · 姨妈 · (母の姉妹)伯母/叔母

형/오빠 older brother (for males)/older brother for females) · 哥哥 · 弟の)兄/(妹の)兄

누나/언니 older sister (for males)/older sister (for females) · 姐姐 · (弟の)姉/(妹の)姉

나 me · 我 · 私

남동생 younger brother · 弟弟 · 弟

여동생 younger sister · 妹妹 · 妹

아들 son · 儿子 · 息子

daughter · 女儿 · 娘

469

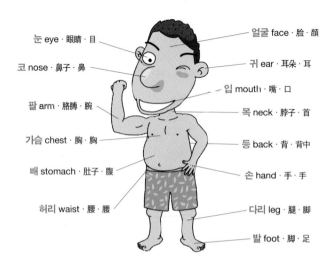

눈 eye · 眼睛 · 目

코 nose · 鼻子 · 鼻

팔 arm · 胳膊 · 腕

가슴 chest · 胸 · 胸

배 stomach · 肚子 · 腹

허리 waist · 腰 · 腰

얼굴 face · 脸 · 顔

귀 ear · 耳朵 · 耳

입 mouth · 嘴 · 口

목 neck · 脖子 · 首

등 back · 背 · 背中

손 hand · 手 · 手

다리 leg · 腿 · 脚

발 foot · 脚 · 足

착용 동사   Verbs Related to Clothing or Accessories · 着装动词 · 着用動詞

쓰다 to hold up · 打(伞) · 差す

쓰다 to wear · 戴 · かける

매다 to wear · 系 · 締める

입다 to wear · 穿 · 着る/履く

들다 to carry · 拿 · 持つ

신다 to put on · 穿 · 履く

쓰다 to wear · 戴(帽子) · かぶる

끼다 to wear · 戴(戒指) · はめる

하다 to wear · 戴(项链) · する

메다 to carry (on one's shoulders) · 肩背 · (肩に)かける

입다 to wear · 穿 · 着る/穿く

신다 to put on · 穿 · 履く

쥐 rat · 鼠 · 子

소 cow · 牛 · 丑

호랑이 tiger · 虎 · 寅

토끼 rabbit · 兔 · 卯

용 dragon · 龙 · 辰

뱀 snake · 蛇 · 巳

말 horse · 马 · 午

양 sheep · 羊 · 未

원숭이 monkey · 猴 · 申

닭 chicken · 鸡 · 酉

개 dog · 狗 · 戌

돼지 pig · 猪 · 亥

요일 Days of the Week · 星期 · 曜日

일요일 Sunday · 星期日 · 日曜日

월요일 Monday · 星期一 · 月曜日

화요일 Tuesday · 星期二 · 火曜日

수요일 Wednesday · 星期三 · 水曜日

목요일 Thursday · 星期四 · 木曜日

금요일 Friday · 星期五 · 金曜日

토요일 Saturday · 星期六 · 土曜日

월 Months · 月份 · 月

일월 January · 一月 · 1月

이월 February · 二月 · 2月

삼월 March · 三月 · 3月

사월 April · 四月 · 4月

오월 May · 五月 · 5月

유월 June · 六月 · 6月

칠월 July · 七月 · 7月

팔월 August · 八月 · 8月

구월 September · 九月 · 9月

시월 October · 十月 · 10月

십일월 November · 十一月 · 11月

십이월 December · 十二月 · 12月

숫자 Numbers · 数字 · 数字

	Sino-Korean Numbers	Native Korean Numbers		Sino-Korean Numbers	Native Korean Numbers
1	일	하나 (한)	20	이십	스물(스무)
2	이	둘 (두)	30	삼십	서른
3	삼	셋 (세)	40	사십	마흔
4	사	넷 (네)	50	오십	쉰
5	오	다섯	60	육십	예순
6	육	여섯	70	칠십	일흔
7	칠	일곱	80	팔십	여든
8	팔	여덟	90	구십	아흔
9	구	아홉	100	백	백
10	십	열	1000	천	천

접속부사 Conjunctive Adverbs · 连词 · 接続副詞（接続詞）

Conjunctive Adverbs	Examples
그래도 and yet · 也就（还是）· それでも	큰 소리로 친구의 이름을 다시 불렀습니다. 그래도 친구는 듣지 못했습니다.
그래서 and so · 所以 · それで	어제는 많이 아팠어요. 그래서 친구를 못 만났어요.
그러나 but · 但是 · しかし	앤디 씨는 키가 작아요. 그러나 피터 씨는 키가 커요.
그러니까 therefore · 所以 · だから	오늘은 좀 바빠요. 그러니까 다음에 만납시다.
그러면 then · 那 · そうすれば	지하철 6번 출구로 나가세요. 그러면 병원이 보일 거예요.
그런데 but, while · 但是 · ところが	동생은 키가 커요. 그런데 저는 키가 작아요.
그렇지만 however · 但是 · でも	친구를 만나도 돼요. 그렇지만 집에 일찍 와야 해요.
그리고 and · 然后 · そして	아침에 밥을 먹었습니다. 그리고 이를 닦았습니다.
왜냐하면 because · 因为 · なぜなら	오늘 오후에 시간이 없어요. 왜냐하면 비자 때문에 대사관에 가야 해요.
하지만 but · 但是 · でも	한국어 공부는 어려워요. 하지만 아주 재미있어요.

Original Words	Shortened Words	Original Words	Shortened Words
저는 I, me · 我 · 私は	전	이것을 this · 这个 · これを	이걸
저의 my · 我的 · 私の	제	그것을 that · 那个 · それを	그걸
저를 me · 我 · 私を	절	저것을 that · 那个 · あれを	저걸
나는 I, me · 我 · 私は	난	이 아이 this child · 这个孩子 · この子	애
나의 my · 我的 · 私の	내	그 아이 that child · 那个孩子 · その子	걔
나를 me · 我 · 私を	날	저 아이 that child · 那个孩子 · あの子	쟤
너는 you · きみ · おまえ	넌	무엇 what · 什么 · 何	뭐
너의 your · 我的 · きみの	네	무엇을 what · 什么个 · 何を	뭘
너를 you · 我 · あなたを	널	가지다 to have · 拿 · 持つ	갖다
이것이 this · 个 · これは	이게	아니요 no · 不 · いいえ	아뇨
그것이 that · 那个 · それは	그게	이야기 a talk · 故事, 话 · 話	얘기
저것이 that · 那个 · あれは	저게	요즈음 these days · 最近 · 最近	요즘
이것은 this · 这个 · これは	이건	왜냐하면 because · 是因为 · なぜなら	왜냐면
그것은 that · 那个 · それは	그건	아주머니 Mrs. · 大 · おばさん	아줌마
저것은 that · 那个 · あれは	저건	그저께 the day before yesterday · 前天 · 一昨日	그제
그런데 but, while · 但是 · ところで	근데	처음 the first, the start · 第一次 · 初めて	첨

473

반의어 **Antonyms** · 反义词 · 反対語

Adjectives		
덥다 ↔ 춥다 to be hot ↔ to be cold 热 ↔ 冷 暑い ↔ 寒い	**(길이) 복잡하다 ↔ 한산하다** to be ↔ not to be crowded crowded 拥 ↔ 冷清 (道が)混雑している ↔ 空いている	**무겁다 ↔ 가볍다** to be heavy ↔ to be light 重 ↔ 轻 重い ↔ 軽い
같다 ↔ 다르다 to be the same ↔ to be different 相同 ↔ 不同 同じだ ↔ 違う	**멀다 ↔ 가깝다** to be far ↔ to be close 远 ↔ 近 遠い ↔ 近い	**넓다 ↔ 좁다** to be wide ↔ to be narrow 宽 ↔ 窄 い ↔ 狭い
하다 ↔ 부족하다 to be sufficient ↔ to be insufficient 充分 ↔ 不足 十分だ ↔ 足りない	**하다 ↔ 더럽다** to be clean ↔ to be dirty 干净 ↔ 脏 きれいだ ↔ 汚い	**밝다 ↔ 어둡다** to be bright ↔ to be dark 明 ↔ 暗 明るい ↔ 暗い
어렵다 ↔ 쉽다 to be difficult ↔ to be easy 难 ↔ 易 難しい ↔ 易しい	**길다 ↔ 짧다** to be long ↔ to be short 长 ↔ 短 長い ↔ 短い	**있다 ↔ 없다** to be ↔ not to be 有 ↔ 没有 ある/いる ↔ ない/いない
바쁘다 ↔ 한가하다 to be busy ↔ to be free 忙 ↔ 闲 いそがしい ↔ ひまだ	**시끄럽다 ↔ 조용하다** to be noisy ↔ to be quiet 嘈杂 ↔ 安静 うるさい ↔ 静かだ	**크다 ↔ 작다** to be big ↔ to be small 大 ↔ 小 大きい ↔ 小さい
편하다 ↔ 불편하다 to be ↔ to be comfortable uncomfortable 舒服 ↔ 不舒服 楽だ ↔ 不便だ, 楽でない	**맛있다 ↔ 맛없다** to be ↔ not to be delicious delicious 好吃 ↔ 不好吃 おいしい ↔ まずい	**많다 ↔ 적다** to be many ↔ to be (a) few 多 ↔ 少 多い ↔ 少ない
기쁘다 ↔ 슬프다 to be happy ↔ to be sad 高 ↔ 伤心 うれしい ↔ 悲しい	**강하다 ↔ 약하다** to be strong ↔ to be weak 强 ↔ 弱 強い ↔ 弱い	**안전하다 ↔ 위험하다** to be ↔ to be safe dangerous 安全 ↔ 危险 安全だ ↔ 危険だ
유창하다 ↔ 서투르다 to be fluent ↔ to be poor at 流 ↔ 不熟练 流暢だ ↔ 拙い	**부지런하다 ↔ 게으르다** to be diligent ↔ to be lazy 勤快 ↔ 懒惰 勤勉だ ↔ 怠惰だ	**날씬하다 ↔ 뚱뚱하다** to be slim ↔ to be fat 苗条 ↔ 胖 やせている ↔ 太っている
좋다 ↔ 나쁘다 to be good ↔ to be bad 好 ↔ 坏 よい ↔ 悪い	**좋다 ↔ 싫다** to be ↔ to be pleasant unpleasant 喜欢 ↔ 讨厌 好きだ ↔ 嫌いだ	**잘생기다 ↔ 못생기다** to be ↔ to be handsome ugly 英俊 ↔ 难看 ハンサムだ ↔ 不細工だ
젊다 ↔ 늙다 to be young ↔ to be old 年 ↔ 老 若い ↔ 老いている	**달다 ↔ 쓰다** to be sweet ↔ to be bitter 甜 ↔ 苦 甘い ↔ 苦い	**뜨겁다 ↔ 차갑다** to be hot ↔ to be cold 烫 ↔ 凉 熱い ↔ 冷たい

배고프다 ↔ 배부르다 to be hungry ↔ to be full 肚子饿 ↔ 肚子饱 空腹だ ↔ 満腹だ	맑다 ↔ 흐리다 to be clear ↔ to be cloudy 晴 ↔ 阴 澄んでいる ↔ 濁っている	얇다 ↔ 두껍다 to be thin ↔ to be thick 薄 ↔ 厚 薄い ↔ 厚い
싸다 ↔ 비싸다 to be cheap ↔ to be expensive 便宜 ↔ 贵 安い ↔ 高い	느리다 ↔ 빠르다 to be slow ↔ to be fast 慢 ↔ 快 い ↔ 速い	높다 ↔ 낮다 to be high ↔ to be low 高 ↔ 低 高い ↔ 低い

Verbs

알다 ↔ 모르다 to know ↔ not to know 知道 ↔ 不知道 知る ↔ 知らない	시작하다 ↔ 끝나다/끝내다 to start ↔ to be over 开始 ↔ 结束 始める ↔ 終わる/終える	사다 ↔ 팔다 to buy ↔ to sell 买 ↔ 卖 買う ↔ 売る
앉다 ↔ 서다 to sit ↔ to stand 坐 ↔ 站 座る ↔ 立つ	가르치다 ↔ 배우다 to teach ↔ to learn 教 ↔ 学 教える ↔ 学ぶ	닫다 ↔ 열다 to close ↔ to open 关 ↔ 开 閉める ↔ 開ける
넣다 ↔ 꺼내다/빼다 to put in ↔ to take out 放进 ↔ 拿出 入れる ↔ 取り出す/抜き取る	(가격) 오르다 ↔ 내리다 to increase ↔ to decrease 涨 ↔ 降 (価格が)上がる ↔ 下がる	들어가다 ↔ 나오다 to enter ↔ to come out 进去 ↔ 出来 入る ↔ 出る
착하다 ↔ 출발하다 to arrive ↔ to depart 到 ↔ 出发 到着する ↔ 出発する	주다 ↔ 받다 to give ↔ to receive 给 ↔ 接受 あげる ↔ うけとる	맞다 ↔ 틀리다 to be right ↔ to be wrong 对 ↔ 错 合う ↔ 間違う
기억하다 ↔ 잊어버리다 to remember ↔ to forget 记 ↔ 忘 覚える/思い出す ↔ 忘れる	출석하다 ↔ 결석하다 to be present ↔ to be absent 出席 ↔ 缺席 出席する ↔ 欠席する	묻다 ↔ 답하다 to ask ↔ to answer 问 ↔ 回答 尋ねる ↔ 答える
입다 ↔ 벗다 to put on ↔ to take off 穿 ↔ 脱 覚着る/穿く ↔ 脱ぐ	잡다 ↔ 놓다 to catch ↔ to put 抓 ↔ 放 つかむ ↔ はなす	비다 ↔ 차다 to be empty ↔ to be full 空 ↔ 满 空く ↔ 満ちる
타다 ↔ 내리다 to get on ↔ to get off 上车 ↔ 下车 乗る ↔ 降りる	살다 ↔ 죽다 to live ↔ to die 活 ↔ 死 生きる ↔ 死ぬ	만나다 ↔ 헤어지다 to meet ↔ to part 见面 ↔ 分手 会う ↔ 別れる
이기다 ↔ 지다 to win ↔ to lose 赢 ↔ 输 勝つ ↔ 負ける	좋아하다 ↔ 싫어하다 to like ↔ to hate 喜欢 ↔ 讨厌 好きだ ↔ きらいだ	끄다 ↔ 켜다 to turn off ↔ to turn on 关 ↔ 开 消す ↔ 点ける

	Etc.	
아까 ↔ 이따가 a short time ago ↔ a little later 刚才 ↔ 待会儿 さっき ↔ あとで	같이 ↔ 따로 together ↔ separately 一起 ↔ 分别 一緒に ↔ 別に	많이 ↔ 조금 a lot ↔ a little 多 ↔ 少 たくさん ↔ すこし
빨리 ↔ 천천히 quickly ↔ slowly 快 ↔ 慢 はやく ↔ ゆっくり	벌써 ↔ 아직 already ↔ not yet 已经 ↔ 还没 もう ↔ まだ	위 ↔ 아래 up ↔ down 上 ↔ 下 上 ↔ 下
일찍 ↔ 늦게 early ↔ late 早 ↔ 晚 早く ↔ 遅く	가끔 ↔ 자주 sometimes ↔ often 偶尔 ↔ 常 たまに ↔ しょっちゅう	앞 ↔ 뒤 front ↔ back 前 ↔ 后 前 ↔ 後ろ
시작/처음 ↔ 끝 start/first ↔ end 开始/第一次 ↔ 最后 始まり/初めて ↔ 終わり	신랑 ↔ 신부 groom ↔ bride 新郎 ↔ 新娘 新郎 ↔ 新婦	어린이(아이) ↔ 어른 child ↔ adult 孩子 ↔ 大人 子ども ↔ 大人
남편 ↔ 아내 husband ↔ wife 丈夫 ↔ 妻子 夫 ↔ 妻	예습 ↔ 복습 preview ↔ review 预习 ↔ 复习 予習 ↔ 復習	찬성 ↔ 반대 agreement ↔ opposition 赞成 ↔ 反对 賛成 ↔ 反対
입학 ↔ 졸업 matriculation ↔ graduation 入学 ↔ 毕业 入学 ↔ 卒業	입원 ↔ 퇴원 admission to the hospital ↔ leaving the hospital 住院 ↔ 出院 入院 ↔ 退院	진짜 ↔ 가짜 real ↔ fake 真 ↔ 假 本物 ↔ 偽物
직접 ↔ 간접 directly ↔ indirectly 直接 ↔ 间接 直接 ↔ 間接	출근 ↔ 퇴근 going to work ↔ leaving work 上班 ↔ 下班 出勤 ↔ 退勤	왕복 ↔ 편도 round trip ↔ one way 往返 ↔ 单程 往復 ↔ 片道
밤 ↔ 낮 night ↔ day 夜晚 ↔ 白天 夜 ↔ 昼	도시 ↔ 시골 city ↔ country 城市 ↔ 乡下 都会 ↔ 田舎	먼저 ↔ 나중 first ↔ later 先 ↔ 以后 さき ↔ あと
새 ↔ 헌 new ↔ used 新 ↔ 旧 新たな ↔ 古い	오전 ↔ 오후 morning ↔ afternoon 上午 ↔ 下午 午前 ↔ 午後	무료 ↔ 유료 free ↔ charged 免费 ↔ 收费 無料 ↔ 有料
입구 ↔ 출구 entrance ↔ exit 入口 ↔ 出口 入口 ↔ 出口	안 ↔ 밖 inside ↔ outside 里 ↔ 外 中 ↔ 外	실내 ↔ 실외 indoors ↔ outdoors 室内 ↔ 室外 室内 ↔ 室外

Words	Similar Words	Words	Similar Words
가격 price · 价格 · 価格	값	선택하다 to choose · 选择 · 選択する	고르다
같이 together · 一起 · いっしょに	함께	수리하다 to repair · 修理 · 修理する	고치다
고민 worry · 心事 · 悩み	걱정	(나이) 어리다 to be young · 年幼 · (歳が)幼い	적다
곧 soon · 马上 · すぐに	금방	연기하다 to postpone · 延期 · 延期する	다음으로 미루다
(집을) 구하다 to look for · 求, 找 · (家を)探す	찾다	올해 this year · 今年 · 今年	금년
궁금하다 to be curious about · 想知道 · 気になる	알고 싶다	유명하다 to be famous · 有名 · 有名だ	사람들이 많이 알고 있다
근처 near · 附近 · 近所	가까운 곳	음료수 beverages · 饮料 · 飲み物	마실 것
다음 해 next year · 明年 · 来年	내년	이야기하다 to talk · 说话 · 話す	말하다
마치다 to finish · 结束 · 終える	끝내	이해하다 to understand · 明白 · 理解する	알아 듣다
만원이다 to be filled to capacity · 满员 · 満員だ	사람이 많다	잘 지내다 to get along well · 过得好 · 元気だ	잘 있다
매일 every day · 每天 · 毎日	날마다	전화를 걸다 to make a phone call · 打电话 · 電話をかける	전화를 하다
모두 all · 全部 · 全部	다	주차하다 to park · 停车 · 駐車する	차를 세우다
배우다 to learn · 学习 · 学ぶ	공부하다	지각하다 to be late · 迟到 · 遅刻する	늦다
(신문, 책) 보다 to read · 看 · (新聞 · 本を)読む	읽다	지난해 last year · 去年 · 去年	작년
부치다 to send · 寄 · 送付する	보내다	출근하다 to go to work · 上班 · 出勤する	회사에 가다
사용하다 to use · 使用 · 使う	쓰다	친하다 to be close · 亲近 · 親しい	사이가 좋다
삼십 분 30 minutes · 三十分钟 · 30分	반	항상 always · 总是 · いつも	언제나
선물을 하다 to give a gift · 送礼 · プレゼントする	선물을 주다		

Coounting Units for Articles	Names of Counting Units	Examples
물건 thing · 东西 · 物	개	한 개 , 두 개, 세 개
책/공책 book/notebook · 书/笔记本 · 本/ノート	권	한 권, 두 권, 세 권
병 bottle · 瓶 · 瓶	병	한 병, 두 병, 세 병
사람 person · 人 · 人	사 명 분	한 사람, 두 사람, 세 사람 한 명, 두 명, 세 명 한 분, 두 분, 세 분
커피/물/맥주 coffee/water/beer · 咖啡/水/啤酒 · コーヒー/水/ビール	잔	한 잔, 두 잔, 세 잔
종이/우표/표 paper/stamp/ticket · 纸/邮票/票 · /切手/チケット	장	한 장, 두 장, 세 장
연필/볼펜 pencil/ballpen · 铅笔/圆珠笔 · 鉛筆/ボールペン	자루	한 자루, 두 자루, 세 자루
꽃 flower · 花 · 花	송이	한 송이, 두 송이, 세 송이
시간 time · 时间 · 時	시간	한 시간, 두 시간, 세 시간
시 o'clock · 点 · 時	시	한 시, 두 시, 세 시
신발/양말/장갑 shoes/socks/gloves · 鞋/袜子/手套 · 靴/靴下/手袋	켤레	한 켤레, 두 켤레, 세 켤레
옷 clothing · 衣服 · 服	벌	한 벌, 두 벌, 세 벌
나이 age · 年龄 · 年齢	살 세	한 살, 두 살, 세 살 일 세, 이 세, 삼 세
자동차/텔레비전/세탁기 car/TV/washing machine · 汽车/电视机/洗衣机 · 自動車/テレビ/洗濯機	대	한 대, 두 대, 세 대
동물 animal · 动物 · 動物	마리	한 마리, 두 마리, 세 마리
번 time · 次 · 回数	번	한 번, 두 번, 세 번
달 month · 月 · 月	달 개월	한 달, 두 달, 세 달 일 개월, 이 개월, 삼 개월
년 year · 年 · 年	년	일 년, 이 년, 삼 년
분 minute · 分 · 分	분	일 분, 이 분 , 삼 분
주 week · 星期 · 週	주일	일주일, 이주일, 삼주일
음식 food · 饮食 · 食べ物	인분	일 인분, 이 인분, 삼 인분
방 번호 room number · 房间号 · 部屋番号	호(실)	일 호(실), 이 호(실), 삼 호(실)

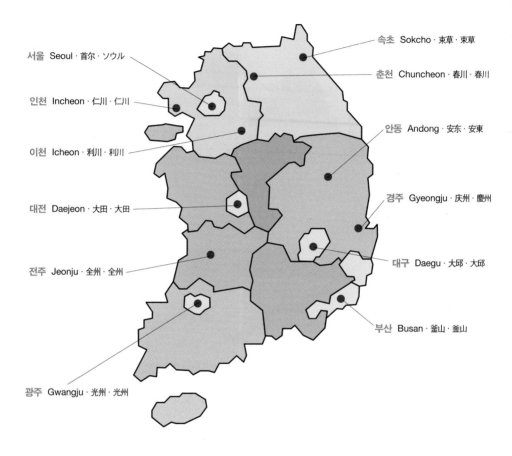

속초 Sokcho · 束草 · 束草

서울 Seoul · 首尔 · ソウル

춘천 Chuncheon · 春川 · 春川

인천 Incheon · 仁川 · 仁川

이천 Icheon · 利川 · 利川

안동 Andong · 安东 · 安東

대전 Daejeon · 大田 · 大田

경주 Gyeongju · 庆州 · 慶州

전주 Jeonju · 全州 · 全州

대구 Daegu · 大邱 · 大邱

부산 Busan · 釜山 · 釜山

광주 Gwangju · 光州 · 光州

서울 지도 Seoul Map · 首尔地图 · ソウル全図

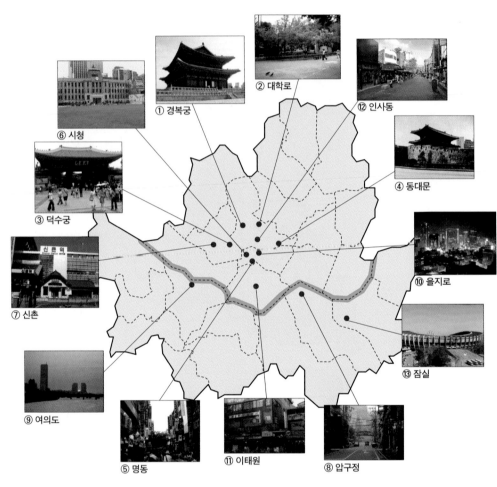

① 경복궁
② 대학로
⑫ 인사동
⑥ 시청
④ 동대문
③ 덕수궁
⑩ 을지로
⑦ 신촌
⑬ 잠실
⑨ 여의도
⑤ 명동
⑪ 이태원
⑧ 압구정

① 경복궁	Gyeongbokgung (Palace) · 景福宮 · 景福宮		⑨ 여의도	Yeouido · 汝矣島 · 汝矣島
② 대학로	Daehangno · 大学路 · 大学路		⑩ 을지로	Euljiro · 乙支路 · 乙支路
③ 덕수궁	Deoksugung (Palace) · 德寿宮 · 德寿宮		⑪ 이태원	Itaewon · 梨泰院 · 梨泰院
④ 동대문	Dongdaemun · 东大门 · 東大門		⑫ 인사동	Insadong · 仁寺洞 · 仁寺洞
⑤ 명동	Myeongdong · 明洞 · 明洞		⑬ 잠실	Jamsil · 蚕室 · 蚕室
⑥ 시청	City Hall · 市政府 · 市役所		⑭ 종로	Jongno · 钟路 · 鍾路
⑦ 신촌	Sinchon · 新村 · 新村		⑮ 한강	Hangang (River) · 汉江 · 漢江
⑧ 압구정	Apgujeong · 狎鸥亭 · 狎鴎亭			

불규칙 동사 · 형용사 활용표 Table of Irregular Verbs and Adjectives

Irregular ㄷ

듣다 + -아/어요 → 들어요
(모음 · 母音 · vowel)

		-아/어/여요	-(으)ㄹ까요?	-(으)ㄴ/는	-(으)니까	-(스)ㅂ니다
걷다	동	걸어요	걸을까요?	걷는	걸으니까	걷습니다
듣다	동	들어요	들을까요?	듣는	들으니까	듣습니다
묻다	동	물어요	물을까요?	묻는	물으니까	묻습니다
알아듣다	동	알아들어요	알아들을까요?	알아듣는	알아들으니까	알아듣습니다

Irregular ㄹ

① 만들다 + -ㅂ니다 → 만듭니다

② 만들다 + -세요 → 만드세요

③ 만들다 + -니까 → 만드니까

		-아/어/여요	-(으)ㄹ까요?	-(으)ㄴ/는	-(으)니까	-(스)ㅂ니다
걸다	동	걸어요	걸까요?	거는	거니까	겁니다
길다	형	길어요	길까요?	긴	기니까	깁니다
날다	동	날아요	날까요?	나는	나니까	납니다
놀다	동	놀아요	놀까요?	노는	노니까	놉니다
달다	형	달아요	달까요?	단	다니까	답니다
돌다	동	돌아요	돌까요?	도는	도니까	돕니다
들다	동	들어요	들까요?	드는	드니까	듭니다
떠들다	동	떠들어요	떠들까요?	떠드는	떠드니까	떠듭니다
떨다	동	떨어요	떨까요?	떠는	떠니까	떱니다
만들다	동	만들어요	만들까요?	만드는	만드니까	만듭니다
말다	동	말아요	말까요?	마는	마니까	맙니다
멀다	형	멀어요	멀까요?	먼	머니까	멉니다
벌다	동	벌어요	벌까요?	버는	버니까	법니다
불다	동	불어요	불까요?	부는	부니까	붑니다
살다	동	살아요	살까요?	사는	사니까	삽니다
썰다	동	썰어요	썰까요?	써는	써니까	썹니다
알다	동	알아요	알까요?	아는	아니까	압니다
열다	동	열어요	열까요?	여는	여니까	엽니다

울다	동	울어요	울까요?	우는	우니까	웁니다
졸다	동	졸아요	졸까요?	조는	조니까	좁니다
팔다	동	팔아요	팔까요?	파는	파니까	팝니다

Irregular 르

부르다 + -아/어요 → 불러요
(모음 · 母音 · vowel)
르 → ㄹㄹ

		-어/아/여요	-(으)ㄹ까요?	-(으)ㄴ/는	-(으)니까	-(스)ㅂ니다
게으르다	형	게을러요	게으를까요?	게으른	게으르니까	게으릅니다
고르다	동	골라요	고를까요?	고르는	고르니까	고릅니다
기르다	동	길러요	기를까요?	기르는	기르니까	기릅니다
누르다	동	눌러요	누를까요?	누르는	누르니까	누릅니다
다르다	형	달라요	다를까요?	다른	다르니까	다릅니다
들르다	동	들러요	들를까요?	들르는	들르니까	들릅니다
마르다	형	말라요	마를까요?	마른	마르니까	마릅니다
모르다	동	몰라요	모를까요?	모르는	모르니까	모릅니다
바르다	동	발라요	바를까요?	바르는	바르니까	바릅니다
부르다	동	불러요	부를까요?	부르는	부르니까	부릅니다
빠르다	형	빨라요	빠를까요?	빠른	빠르니까	빠릅니다
서두르다	동	서둘러요	서두를까요?	서두르는	서두르니까	서두릅니다
오르다	동	올라요	오를까요?	오르는	오르니까	오릅니다
자르다	동	잘라요	자를까요?	자르는	자르니까	자릅니다

Irregular ㅂ

덥다 + -어요 → 더워요
(모음 · 母音 · vowel)
ㅂ → 우

(※돕다 + -아요 → 도와요)
(모음 · 母音 · vowel)
ㅂ → 오

		-아/어/여요	-(으)ㄹ까요?	-(으)ㄴ/는	-(으)니까	-(스)ㅂ니다
가깝다	형	가까워요	가까울까요?	가까운	가까우니까	가깝습니다
가볍다	형	가벼워요	가벼울까요?	가벼운	가벼우니까	가볍습니다
고맙다	형	고마워요	고마울까요?	고마운	고마우니까	고맙습니다
굽다	동	구워요	구울까요?	굽는	구우니까	굽습니다
귀엽다	형	귀여워요	귀여울까요?	귀여운	귀여우니까	귀엽습니다
그립다	형	그리워요	그리울까요?	그리운	그리우니까	그립습니다

482

눕다	동	누워요	누울까요?	눕는	누우니까	눕습니다
더럽다	형	더러워요	더러울까요?	더러운	더러우니까	더럽습니다
덥다	형	더워요	더울까요?	더운	더우니까	덥습니다
돕다	동	도와요	도울까요?	돕는	도우니까	돕습니다
두껍다	형	두꺼워요	두꺼울까요?	두꺼운	두꺼우니까	두껍습니다
뜨겁다	형	뜨거워요	뜨거울까요?	뜨거운	뜨거우니까	뜨겁습니다
맵다	형	매워요	매울까요?	매운	매우니까	맵습니다
무겁다	형	무거워요	무거울까요?	무거운	무거우니까	무겁습니다
무섭다	형	무서워요	무서울까요?	무서운	무서우니까	무섭습니다
미끄럽다	형	미끄러워요	미끄러울까요?	미끄러운	미끄러우니까	미끄럽습니다
반갑다	형	반가워요	반가울까요?	반가운	반가우니까	반갑습니다
부끄럽다	형	부끄러워요	부끄러울까요?	부끄러운	부끄러우니까	부끄럽습니다
부럽다	형	부러워요	부러울까요?	부러운	부러우니까	부럽습니다
쉽다	형	쉬워요	쉬울까요?	쉬운	쉬우니까	쉽습니다
시끄럽다	형	시끄러워요	시끄러울까요?	시끄러운	시끄러우니까	시끄럽습니다
싱겁다	형	싱거워요	싱거울까요?	싱거운	싱거우니까	싱겁습니다
아름답다	형	아름다워요	아름다울까요?	아름다운	아름다우니까	아름답습니다
어둡다	형	어두워요	어두울까요?	어두운	어두우니까	어둡습니다
어렵다	형	어려워요	어려울까요?	어려운	어려우니까	어렵습니다
외롭다	형	외로워요	외로울까요?	외로운	외로우니까	외롭습니다
줍다	동	주워요	주울까요?	줍는	주우니까	줍습니다
즐겁다	형	즐거워요	즐거울까요?	즐거운	즐거우니까	즐겁습니다
차갑다	형	차가워요	차가울까요?	차가운	차가우니까	차갑습니다
춥다	형	추워요	추울까요?	추운	추우니까	춥습니다

Irregular ㅅ

낫다 + -아/어요 → 나아요
(모음 · 母音 · vowel)

		-아/어/여요	-(으)ㄹ까요?	-(으)ㄴ/는	-(으)니까	-(스)ㅂ니다
낫다	동	나아요	나을까요?	낫는	나으니까	낫습니다
붓다	동	부어요	부을까요?	붓는	부으니까	붓습니다
짓다	동	지어요	지을까요?	짓는	지으니까	짓습니다

Irregular 으

쓰다 + -아/어요 → 써요
(모음 · 母音 · vowel)

		-아/어/여요	-(으)ㄹ까요?	-(으)ㄴ/는	-(으)니까	-(스)ㅂ니다
고프다	형	고파요	고플까요?	고픈	고프니까	고픕니다
기쁘다	형	기뻐요	기쁠까요?	기쁜	기쁘니까	기쁩니다
끄다	동	꺼요	끌까요?	끄는	끄니까	끕니다
나쁘다	형	나빠요	나쁠까요?	나쁜	나쁘니까	나쁩니다
바쁘다	형	바빠요	바쁠까요?	바쁜	바쁘니까	바쁩니다
배고프다	형	배고파요	배고플까요?	배고픈	배고프니까	배고픕니다
슬프다	형	슬퍼요	슬플까요?	슬픈	슬프니까	슬픕니다
쓰다(편지를 쓰다)	동	써요	쓸까요?	쓰는	쓰니까	씁니다
쓰다(맛이 쓰다)	형	써요	쓸까요?	쓴	쓰니까	씁니다
아프다	형	아파요	아플까요?	아픈	아프니까	아픕니다
예쁘다	형	예뻐요	예쁠까요?	예쁜	예쁘니까	예쁩니다
크다	형	커요	클까요?	큰	크니까	큽니다

Irregular ㅎ

① 노랗다 + -아/어요 → 노래요
(모음 · 母音 · vowel)

② i) 노랗다 + -ㄴ → 노란
ㄴ

ii) 그렇다 + -ㄹ까요? → 그럴까요?
ㄹ

		-아/어/여요	-(으)ㄹ까요?	-(으)ㄴ/는	-(으)니까	-(스)ㅂ니다
그렇다	형	그래요	그럴까요?	그런	그러니까	그렇습니다
동그랗다	형	동그래요	동그랄까요?	동그란	동그라니까	동그랗습니다
어떻다	형	어때요?	어떨까요?	어떤	어떠니까	어떻습니까?
이렇다	형	이래요	이럴까요?	이런	이러니까	이렇습니다
저렇다	형	저래요	저럴까요?	저런	저러니까	저렇습니다

정답 Answer

01 | 사람

1 가족/친척
1. 식구　2. 부모(님)　3. 고모　4. 할머니
5. 조카　6. 이모　7. ④

2 감정
1. ④　　2. ①　　3. ①　　4. ②

3 성격
1. 친절하다 – ③　2. 서두르다 – ②
3. 무섭다 – ①　4. ②　5. ③　6. ③

4 외모
1. 크다 – ②　2. 길다 – ①
3. 뚱뚱하다 – ③　4. ②　5. ①

5 인생
1. ③　　2. 태어나다　3. 취직하다
4. 데이트하다　5. 결혼하다　6. 죽다
7. ①

6 직업
1. ③　2. ⑤　3. ②　4. ①
5. ④　6. 가수　7. 승무원　8. 교수
9. 기자　10. 의사

7 친구/주변 사람
1. ④　2. 이분　3. 저분　4. 교포 – ②
5. 동창 – ③　6. 선배 – ①

02 | 교육

1 교실 용어
1. 읽다　2. 조용히 하다　3. 듣다
4. 책을 펴다　5. 다시　6. 따라 하세요
7. 질문 하세요　8. 자리

2 수업
1. 결석　2. 지각　3. 예습　4. 복습
5. ④　6. ②　7. ①　8. ③

3 시험
1. ①　2. ②　3. ③　4. ①　5. ②
6. ④　7. ①

4 학교　5 학습 도구
1. ㉠ – 초등학교, ㉡ – 고등학교, ㉢ – 대학원
2. ③　3. 분실물　4. 도시락　5. 도서관
6. 규칙　7. ③　8. ④　9. ②　10. ①

03 | 건강

1 병원/약국
1. 안과　2. 내과　3. 치과　4. 소아과
5. 정형외과　6. ②　7. ③　8. ①

2 증상/증세
1. ①　2. 기침을 해요　3. 콧물이 나요
4. 땀이 나요　5. ②　6. ①

04 │ 식생활

1 간식 **2** 과일/채소 **3** 맛
1. 사과   2. 수박   3. 포도   4. 복숭아
5. ②   6. ④   7. 싱싱하다   8. 독해서
9. 써요.

4 식당 **5** 요리 **6** 음료/차 **7** 음식
1. ④   2. ②   3. ①
4. ①ⓛ   ②ⓒ   ③ⓖ   ④ⓒ
5. ③   6. ①

8 재료
1. 소금   2. 설탕   3. 미역   4. 고추
5. 쌀   6. 배추   7. 오징어   8. ②
9. ①

05 │ 일상생활

1 약속하기
1. ②   2. ①   3. ④   4. ③   5. ①
6. ③

2 인간관계
1. ①   2. ②   3. ①   4. 성함
5. 똑똑합니다   6. 사과했습니다
7. 사귑니다   8. 잃어버렸습니다

3 직장 생활
1. 출근하다   2. 퇴근하다   3. 근무하다
4. 출장가다   5. ④   6. ④
7. ①   8. ③

4 하루 일과
1. 일어나다   2. 세수하다   3. 갈아입다
4. 나가다   5. ③   6. 배가 고프다
7. 간단하다   8. 들르다

06 │ 여가 생활

1 여행
1. ①   2. 사진을 – ③   3. 가방을 – ②
4. 계획을 – ④   5. 구경을 – ① 하다
6. ②   7. ④

2 운동
1. 하다   2. 치다   3. 타다   4. ②   5. ①

3 음악 **4** 취미
1. ④   2. ①   3. ③   4. ②   5. ④
6. ②

07 │ 날씨

1 계절 **2** 일기예보
1. ④   2. ③   3. ④   4. ②   5. ①
6. ③

08 │ 시간

1 날짜
1. 그저께/그제, 내일   2. 작년, 내년
3. 화요일, 수요일, 금요일, 일요일
4. ④   5. ③   6. ②   7. ①

2 시간
1. ①   2. ②   3. ④   4. ③   5. ②
6. ④

09 | 패션

1 미용 **2** 소품
1. 하다　2. 쓰다　3. 신다　4. 매다/하다
5. ①　6. ②　7. ④

3 의류
1. ①　2. ③　3. ④　4. 티셔츠
5. 치마　6. 바지　7. 양복

10 | 경제활동

1 가게/시장
1. ④　2. ③　3. ④　4. ①　5. ②

2 경제 **3** 쇼핑
1. ②　2. ①　3. ④　4. ③　5. ①
6. ②　7. ④　8. ②

11 | 교통/통신

1 길 찾기 **2** 방향
1. ②　2. ①　3. ③　4. ③　5. ②
6. ①

3 우편 **4** 위치 **5** 전화
1. ②　2. ②　3. ②　4. ②　5. ①
6. ④　7. ①

6 탈것
1. ④　2. ⑤　3. ③　4. ②　5. ①
6. ④　7. ①　8. ②　9. ③　10. ④

12 | 장소

1 건물 **2** 길
1. ④　2. ③　3. ①　4. ②　5. ⑤
6. ①　7. ③　8. ②

3 도시 **4** 동네 **5** 서울
1. ①　2. ④　3. ②　4. ③　5. ②
6. ①

13 | 집/자연

1 동식물 **2** 자연환경
1. 소　2. 곰　3. 호랑이　4. ②　5. ③
6. 자연　7. 환경

3 전기/전자 제품 **4** 집안 **5** 집안 가구/물건
1. ④　2. ②　3. ①　4. 책상　5. 커튼
6. 액자　7. 침대　8. 서랍

6 집안 구조 **7** 집안일
1. ②　2. ③　3. ②　4. ①

14 | 문화

1 대중매체 **2** 사회
1. ③　2. ③　3. ①　4. ②　5. 차례
6. 정보　7. 사실　8. 인구　9. 마찬가지

3 영화/연극 **4** 예술/문학 **5** 전통문화
1. 액션 영화　2. 멜로 영화　3. 코미디 영화
4. 공포 영화　5. 탈　6. 도자기
7. 태권도　8. 판소리　9. 뮤지컬
10. 상영　11. 극장

487

색인 Index

ㅅ

496

ㅊ

기타